하루에 하나씩
읽는 민법조문
권 (IV)

하루에 하나씩 읽는 민법조문 물권(IV)

초판 _ 2024년 3월 2일

지은이 _ 김민석

디자인 _ enbergen3@gmail.com

펴낸이 _ 한건희

펴낸곳 _ 부크크

출판등록 _ 2014.07.15.(제2014-16호)

주소 _ 서울특별시 금천구 가산디지털1로 119 SK트윈타워 A동 305호

전화 _ 1670-8316

이메일 _ info@bookk.co.kr

홈페이지 _ www.bookk.co.kr

ISBN _ 979-11-410-7380-0

값은 표지에 있습니다.

하루에 하나씩 읽는 민법조문
물권 (IV)

Contents

Intro

머리말

청룡의 해가 밝았습니다.

지난해 「하루에 하나씩 읽는 민법조문」 민법총칙 편의 개정판을 작업한데 이어 올해 물권편도 개정판을 내게 되었습니다.

이번 개정판에서는 그간 아쉬웠던 부분들을 보강하고자 신경썼습니다. 먼저 가독성을 높이기 위해 원고를 대폭 편집했습니다. 디자인도 보다 깔끔하게 변경하였습니다. 불필요하다고 생각되는 설명은 삭제하였습니다. 반면 설명이 필요는 하지만, 본서의 기준으로 보았을 때 다소 복잡한 내용에 관해서는 별도로 〈심화학습〉 코너를 두어 다루었습니다. 무엇보다 독자들에게 오해를 불러일으킬 수 있었던 애매한 표현과 부적절한 설명을 여럿 수정하였습니다. 이 과정에서 책의 분량은 약간 증가하게 되었습니다만, 이전 원고보다 조금이라도 나아진 부분이 있다면 이것은 독자들이 양해하여 주지 않을까 하는 기대를 걸어 봅니다.

책이 나오기까지 우여곡절이 있었습니다. 많은 분들의 지원과 애정이 없었다면 이 작업은 끝내기 어려웠을 것입니다. 무엇보다 항상 곁에서 응원을 아끼지 않았던 아내와 가족에게 감사한 마음뿐입니다. 이 책이 누군가에게 좋은 기억으로 남기를 기원하며 말을 맺습니다.

2024년 2월 김민석 올림.

"하루에 하나씩 읽는
민법조문 물권편,
시작합니다."

Part 5.

제5장, 지역권

제291조(지역권의 내용)

지역권자는 일정한 목적을 위하여 타인의 토지를 자기토지의 편익에 이용하는 권리가 있다.

오늘부터는 제5장, '지역권'으로 들어가도록 하겠습니다. 지역권, 왠지 단어만 보았을 때에는 지상권과 비슷해 보이는데요. 한 글자만 다르네요. 그런데 그 의미는 크게 다릅니다.

정말 대놓고 한자를 직역해 보면, 지역권(地役權)이란 땅(地)을 부릴(役) 수 있는 권리를 말합니다. 흔히 부역(賦役)이라는 말을 쓰는데요, 병역과 같이 공적인 일에 불려가 노동을 하는 의미로 사용되고 있지요.

그래서 사실 지역권이라는 단어 자체에서 크게 와 닿지는 않지만, 법적인 개념 자체는 제291조에 명확하게 나와 있습니다. 법적으로 지역권이란 일정한 목적을 위해서 다른 사람의 땅을 자신의 땅의 편익에 이용하는 권리를 말합니다.

"도대체 지상권이랑 뭐가 다른 거죠?"

이렇게 생각하실 수 있는데, 다르기는 다릅니다. 지상권의 경우 남의 땅 위에 건물, 공작물, 수목 같은 것을 소유하기 위해서 남의 땅을 사용할 수 있는 권리이고요, 지역권은 '남의 땅으로부터' 내 땅에 이익을 가져올 수 있는 권리를 말합니다.

 이렇게만 하면 이해가 안 가니까, 예를 들어 봅시다. 철수는 땅을 하나 가지고 있는데, 좋은 땅이기는 하나 단점이 하나 있습니다. 바로 도로와 연결이 안 되어 있다는 것입니다. 바로 아래 그림과 같이, 철수의 땅은 도로에 접해 있지 않고 그 사이에 영희의 땅이 끼어 있는 것입니다. 이처럼 도로와 접한 부분이 전혀 없는 땅을 소위 맹지(盲地)라고도 부릅니다. 아래 그림에서와 유사한 모양새가 되는 것이지요.

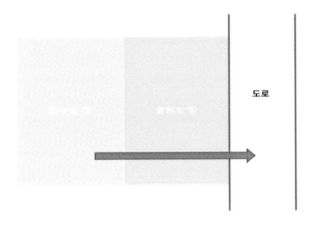

도로

 자기 땅에 농사도 짓고 하려면 도로를 통해서 자재도 들여오고, 트랙터도 왔다 갔다 하고 그래야 하는데 철수는 지금 상태로는 땅을 제대로 이용하기가 어려워집니다. 바로 이런 경우 철수는 '지역권' 제도를 이용할 수 있습니다. 영희와 지역권 설정계약을 맺고, 영희에게 돈을 좀 주는 대신 영희의 땅 일부를 통행할 수 있는 권리를 가질 수 있는 겁니다.

이처럼 지역권을 설정하였을 때, 이익을 제공하여 주는 토지를 어려운 말로 승역지(承役地)라고 하고, 이익을 받는 토지를 요역지(要役地)라고 부릅니다. 사례의 경우에는 영희의 땅이 승역지가 되고, 철수의 땅이 요역지가 되는 것이지요. 솔직히 현실에서는 잘 쓰지 않는 한자어인데 그냥 이런 단어가 있는가 보다 하고 넘어가시면 되겠습니다. 어쨌건 이 표현을 이용하면, 지역권이란 요역지의 편익을 위하여 승역지를 이용하는 권리라고 정리할 수 있습니다.

이러한 지역권은 소유권은 아니지만 남의 물건으로부터 사용가치를 가져올 수 있다는 점에서 제한물권인 용익물권에 해당합니다. 대표적으로 위의 사례에서처럼 통행을 위해서 지역권을 설정하는 경우도 있고, 농사를 짓기 위해 물길을 끌어오는 경우에도 남의 땅을 쓸 수 있도록 지역권을 설정하기도 합니다. 목적은 다양할 수 있겠지요.

"네, 지상권과 다른 것은 알겠는데, 그럼 임대차하고는 뭐가 다른 거죠?"

이런 질문도 나올 수 있습니다. 사실 위 철수의 사례에서, 철수는 굳이 지역권 설정계약이라는 방법을 택하지 않고서도 영희의 땅을 빌려 쓰는 임대차계약을 하는 방법을 취할 수도 있습니다. 그러니까 영희의 땅 중 일부를 철수가 아예 세를 주고 빌려 써버리는 거죠.

이렇게 (임대차를) 하게 되면 지역권에서와 마찬가지로 남의 땅 (일부)을 빌려 쓰게 된다는 점은 같지만, 물권이 아닌 채권관계가 될 것이고 철수는 자신이 빌린 면적 부분은 독점해서 쓸 수 있다는 차이가 있습니다. 빌린 땅을 꼭 통행로로 사용하는 것뿐 아니라 다른 것을 할 수도 있다는 거지요.

반면 지역권을 설정한 경우에는 원래의 목적대로 통행을 위해서만 써야 합니다. 따라서 통행을 하지 않을 때에는 본래의 땅 소유자인 영희가 그 땅을 쓸 수 있는 것입니다.

이처럼 임대차와 달리 지역권의 목적을 방해하지 않는 한도 내에서는 (승역지의) 땅 소유자가 그 땅을 사용할 수 있게 되는데 이를 지역권의 비배타성이라고 합니다. 그래서 지역권은 배타적인 지배권이 아니라는 의미에서, 일종의 공동이용권이라고 보기도 합니다 (김준호, 2017).

그렇다면 마지막으로, 땅을 가진 철수의 입장에서 도로에의 통행을 위해 어떤 방법들을 쓸 수 있는지 정리해 보겠습니다. 물론 원칙적으로 '통행'을 목적으로 해서만 지역권이 설정되고, 쓰일 수 있는 것은 아닙니다만, 대표적인 사례에 해당하기 때문에 이해를 돕기 위해 도로에의 통행을 예로 드는 것입니다. 지역권과 다른 제도 간의 차이점을 이해하는데 도움이 될 듯합니다.

1. 영희의 땅에 지역권설정을 하고 등기를 해서 땅을 사용한다.

지역권을 이용한 방법입니다. 지역권 역시 부동산물권이기 때문에 등기하여야 합니다(민법 제186조). 그 대가로 영희에게 얼마를 지불할지는 철수와 영희가 알아서 정하면 됩니다. 영희가 자비로운 사람이라면 공짜로 지역권을 설정해 줄 수도 있겠죠. 하지만 자기 부동산 등기에 지역권까지 써넣어 주면서 심지어 그걸 공짜로 해주는 사람은 아마 별로 없을 겁니다.

2. 영희와 임대차계약을 맺고 영희의 땅 일부를 빌려 쓴다.

임대차계약을 이용한 방법입니다. 철수는 영희에게 임차료를 내는 대신 영희의 땅 일부를 빌려 쓰고 그 땅에 통행로를 설치하면 될 겁니다. 지역권과의 차이점은 위에서 설명했습니다.

특히, 임대차계약은 채권관계에 불과하므로 물권인 지역권과 달리 땅 주인이 영희에서 다른 사람으로 바뀌게 되면 새로운 주인에게는 주장할 수가 없게 됩니다(즉, 새로운 땅 주인은 이전 주인과 철수가 한 계약 따위 알 바 아닙니다).

3. 영희와 사용대차계약을 맺고 영희의 땅 일부를 빌려 쓴다.

사용대차는 아직 공부한 개념은 아닌데, 계약의 일종입니다. 대충 생각하면 무상으로 다른 사람의 물건을 빌려 쓰고 되돌려주는 것을 말합니다. 위 임대차와의 차이점은 유상이 아니라 공짜라는 겁니다. 역시 영희가 자비로운 사람이라면 가능합니다.

4. 영희의 땅에 대한 주위토지통행권을 주장한다.

우리는 민법 제219조에서 주위토지통행권을 공부한 적이 있었습니다. 주위토지통행권이란 어떤 땅이 도로와 같은 길에 이어져 있지 않고, 주변의 땅을 지나지 않고서는 길에 나갈 수 없는 등의 요건이 갖추어지면 토지소유자에게 인정되는 법정통행권이라고 했습니다.

제219조(주위토지통행권) ①어느 토지와 공로사이에 그 토지의 용도에 필요한 통로가 없는 경우에 그 토지소유자는 주위의 토지를 통행 또는 통로로 하지 아니하면 공로에 출입할 수 없거나 과다한 비용을 요하는 때에는 그 주위의 토지를 통행할 수 있고 필요한 경우에는 통로를 개설할 수 있다. 그러나 이로 인한 손해가 가장 적은 장소와 방법을 선택하여야 한다.
②전항의 통행권자는 통행지소유자의 손해를 보상하여야 한다.

이러한 주위토지통행권은 요건이 까다로워 인정받기가 쉽지 않지만, 그래도 정 다른 방법이 없는 경우라면 한 번쯤 고려해 볼만 합니다. 지역권과의 차이점은, 지역권은 민법에 규정된 물권으로서 등기할 수 있는 권리에 해당하지만 주위토지통행권은 등기를 할 수 없는 권리라는 것입니다.

또한, 지역권은 예를 들어 땅의 어떤 부분을 통행로로 쓰는지 등기되어 있는 등 그 사용이 특정한 장소로 고정되어 있습니다. 반면, 주위토지통행권은 등기되어 있는 것도 아니어서 통행로의 위치도 고정되어 있지 않고 바뀔 수가 있습니다.

예를 들어 통행로가 있는 땅의 주인이, 그 땅에 원래는 없던 건물을 세워서 해당 통행로가 걸리적거리게 된다면, 주위토지통행권자는 통행지 소유자의 손해가 가장 적은 장소와 방법을 선택하여야 하기 때문에(제219조제1항 단서), 통행로를 옮길 수 있습니다.

우리의 판례 역시 "주위토지통행권은 통행을 위한 지역권과는 달리 그 통행로가 항상 특정한 장소로 고정되어 있는 것은 아니고, 주위토지통행권확인청구는 변론종결시에 있어서의 민법 제219조에 정해진 요건에 해당하는 토지가 어느 토지인가를 확정하는 것이므로, 주위토지 소유자가 그 용법에 따라 기존 통행로로 이용되던 토지의 사용방법을 바꾸었을 때에는 대지 소유자는 그 주위토지 소유자를 위하여 보다 손해가 적은 다른 장소로 옮겨 통행할 수밖에 없는 경우도 있다."라고 하여(대법원 2009. 6. 11. 선고 2008다75300,75317,75324 판결) 같은 입장이므로, 판례문을 읽어 보시고 주위토지통행권의 지역권의 차이를 이해해 보시기 바랍니다.

지금까지 통행을 위한 지역권을 위주로 알아보았는데요, 자주 사용되는 만큼 예시를 든 것뿐이지 지역권이 이런 종류만 있는 것은 아닙니다.

예를 들어 이웃한 땅에 건물이 올라가게 되면 내 땅에 햇빛이 가려져서 농작물이 말라 죽을 수 있다고 합시다. 그러면 이웃 땅 주인과 협의해서, 이웃한 땅에는 향후 햇빛을 가리는 건물을 짓지 않겠다는 지역권을 설정하는 것도 가능합니다. '건물을 새로 안 짓게 됨으로써 얻게 되는 편익'도 편익이라고 할 수 있으니까, 건물을 짓지 않기로 한 땅이 승역지, 그러한 무(無)행동으로 인해서 이득을 보는 내 땅을 요역지라고 할 수 있겠지요. 이와 같이 어떠한 행위를 하지 않을 것을 목적으로 하는 지역권을 부작위지역권이라고 하는데, 참고로 알아 두시면 되겠습니다.

오늘은 지역권의 개념을 알아보고, 다른 개념과 비교하는 시간을 가졌습니다. 지역권의 경우에는 사실 우리가 나중에 배울 저당권이나, 앞서 배운 소유권, 지상권보다 현실에서 훨씬 덜 이용되는 제도이긴 합니다. 아무래도 위에서 말씀드린 것처럼 임대차 등 대체할 만한 편리한 제도가 많이 있기도 하고, 등기를 해야 하는 등 불편한 측면도 있기도 하고 여러 가지 이유가 있습니다. 하지만 물권법에서 그냥 지나갈 수는 없는 파트이니, 한 번쯤 꼼꼼히 읽어 보시길 바랍니다.

내일은 지역권의 부종성에 대하여 공부하도록 하겠습니다.

*참고문헌

김준호, 민법강의, 법문사, 제23판, 2017, 746면.

제292조(부종성)

①지역권은 요역지소유권에 부종하여 이전하며 또는 요역지에 대한 소유권이외의 권리의 목적이 된다. 그러나 다른 약정이 있는 때에는 그 약정에 의한다.
②지역권은 요역지와 분리하여 양도하거나 다른 권리의 목적으로 하지 못한다.

조의 제목을 보시면 부종성이라는, 다소 생소한 단어가 나오는데요. 종(從)이 따르다는 의미가 있고, 부(附)는 붙는다는 의미가 있으므로 쉽게 생각하면 '꼭 붙어서 따라다니는 성질' 정도로 이해하시면 되겠습니다.

제1항을 봅시다. 제1항은 지역권이 요역지의 소유권에 부종하여 '이전'하거나 요역지의 소유권 이외의 권리의 목적이 된다고 적혀 있습니다. 무슨 뜻일까요? 어제, 요역지란 남의 땅으로부터 어떠한 이익을 받게 되는 땅이라고 했습니다. 승역지란 그러한 이익을 제공해주는 땅이라고 했지요.

예를 들어 봅시다. 여기 서로 인접한 땅 A, B가 있습니다. A는 철수의 땅이고요. B는 영희의 땅입니다. 그런데 땅 A는 맹지여서 별도로 길(통행로)을 내지 않으면 도로로 나갈 수가 없습니다. 그래서 철수는 영희와 지역권설정계약을 맺고, 영희의 땅 일부에 통행로를 내어 사용해 왔습니다. 이 경우 A가 요역지, B가 승역지에 해당하는 겁니다.

그러던 어느 날, 철수가 돈이 궁해서 땅 A를 나부자에게 팔게 되었습니다. 계약서 쓰고, 돈도 받고, 소유권이전등기도 해주었습니다. 그렇다면 이제 철수가 갖고 있던 지역권은 어떻게 되는 걸까요?

제292조제1항 본문의 의미는, 이런 경우 철수의 지역권 역시 땅 A(요역지) 소유권의 이전에 따라 철수로부터 나부자에게 이전된다는 것입니다. 철수와 나부자가 깜빡 잊고 지역권에 대해서 합의하지 않았어도 상관없습니다. 즉, 지역권은 소유권이 어디 있는지에 따라 쫓아다닌다는 거죠. 이러한 성질에 비추어, 제292조제1항에서 말하는 지역권의 특징을 수반성이라고 부르기도 합니다.

"그러면 지역권도 다시 이전등기해야 하는건가?"

이렇게 생각하실 수 있는데, 그럴 필요도 없습니다. 나부자는 자연스레 소유권이전등기와 함께 지역권을 취득하게 됩니다. 왜 그런지는 민법 제187조를 복습하면서 한번 생각해 보시면 좋을 듯합니다(법률의 규정에 따른 물권변동).

그런데 제292조제1항 본문을 보면 특이한 표현이 하나 나옵니다. 지역권은 요역지에 대한 소유권 이외의 권리의 목적이 된다는 것인데요, 이건 도대체 무슨 의미일까요?

먼저 소유권 이외의 권리가 무엇인지 생각해 보면, 지상권이나 전세권 같은 용익물권도 있겠고, 저당권 같은 담보물권도 떠올릴 수 있을 것입니다. 또한, 물권은 아니지만 임차권 같은 것도 있을 것입니다. 즉, 제292조제1항 본문 후단에서 말하는 case는 요역지에 지상권이나 저당권 같은, 소유권 이외의 권리가 설정되는 사례일 것입니다.

그런 의미에서 다시 예를 들어 봅시다. 위의 사례에서, 철수가 나부자에게 땅을 팔지 않고, 자신의 요역지에 지상권을 설정해 주었다고 합시다.

그러면 이제 세 사람의 법률관계는 철수(영희의 땅에 대한 지역권자, 철수의 땅에 대한 지상권 설정자)-영희(철수의 땅에 대한 지역권 설정자)-나부자(철수의 땅에 대한 지상권자)가 되어 다소 복잡해집니다.

나부자는 철수의 땅 A에 고가도로를 설치할 생각이라고 합시다. 그러면 지상권자인 나부자는 자신의 지상권을 행사하기 위해, 도로에서 물건을 옮기거나 할 때 영희의 땅에 있는 통행로를 이용할 수 있습니다. 이것이 바로 '요역지 소유권 이외의 권리의 목적이 된다'라는 의미입니다. 전세권이나 임차권 등의 경우에도 유사합니다.

다시 말해 지상권, 전세권, 임차권 같은 권리를 가진 자는 요역지를 사용할 때 그 토지에 수반되는 지역권을 행사할 수 있습니다. 또한, 저당권 같은 담보권이 요역지에 설정되면, 그 효력은 지역권에

까지 미치게 됩니다(김준호, 2017).

물론, 지금까지의 논의는 별도로 철수와 영희 사이에 다른 약정이 있지 않다는 것을 전제로 합니다(제1항 단서, **수반성의 배제**). 예를 들어 영희가 철수와 지역권설정계약을 할 때, "향후 철수의 땅에 다른 시설물을 설치한다고 하더라도, 그러한 공사를 위해서 내 땅을 지나다닐 수는 없다. 왜냐하면 나는 시끄러운 것은 싫기 때문이다." 라는 등의 합의를 해서 등기까지 하였다면(등기를 해야 제3자에게 대항 가능), 나부자는 지상권자라고 하더라도 공사를 이유로 영희의 땅을 지나다닐 수 없게 됩니다. 그러니까 나부자 입장에서는 잘 알아보고 계약을 해야 할 것입니다.

방금 말씀드린 철수와 영희 사이의 특약은 사실상 요역지의 현재 소유자인 철수에 대해서만 지역권을 인정해 주고, 그 외에는 지역권을 인정해주지 않겠다는 내용의 약정이라고 할 수 있습니다. 만약 이러한 특약을 달고 있는 요역지의 소유권자가 바뀐다면(철수가 다른 사람에게 땅을 팔아버리는 경우), 그 경우에는 어차피 철수 외의 다른 사람은 지역권이 인정되지 않으므로, 요역지에 붙어 있던 지역권도 소유권 이전으로 인해 소멸해 버리는 것으로 보아야 할 것입니다(홍동기, 2019).

제2항을 봅시다. 지역권은 요역지와 분리하여 양도하거나 다른 권리의 목적으로 할 수 없다고 합니다. 예를 들어, 철수가 "A땅의 소유권은 동생에게 팔고, 지역권은 나부자에게 팔아야지~ 이중으로

팔 수 있다니, 꿀이군요." 이렇게 할 수는 없다는 것입니다. 왜냐하면 지역권은 부종성이 있어서 요역지와 따로 떼어 놓고 생각할 수 없는 것이기 때문입니다.

부종성은 지역권이 가지고 있는 중요한 특성 중에 하나입니다. 지역권은 어디까지나 편익을 받는 토지를 위해서 존재하는 권리이기 때문에, 해당 토지와 떼어 놓고 생각할 수 없다는 겁니다. 이 부분을 이해하면, 지역권에 대한 논의를 한결 쉽게 이해하실 수 있을 것입니다.

내일은 지역권의 공유관계와 일부양도 등에 대해 알아보도록 하겠습니다.

*참고문헌

김준호, 「민법강의(제23판)」, 법문사, 2017, 746-747면.

김용덕 편집대표, 「주석민법 물권3(제5판)」, 한국사법행정학회, 2019, 199면(홍동기).

제293조(공유관계, 일부양도와 불가분성)

①토지공유자의 1인은 지분에 관하여 그 토지를 위한 지역권 또는 그 토지가 부담한 지역권을 소멸하게 하지 못한다.

②토지의 분할이나 토지의 일부양도의 경우에는 지역권은 요역지의 각 부분을 위하여 또는 그 승역지의 각부분에 존속한다. 그러나 지역권이 토지의 일부분에만 관한 것인 때에는 다른 부분에 대하여는 그러하지 아니하다.

제293조는 지역권의 불가분성에 대하여 규정하고 있습니다. 불가분성이란 서로 쪼개어 따로 떼어낼 수 없는 성질을 의미하는 것인데요, 얼핏 생각하면 어제 공부한 부종성과 비슷해 보이지만 실제로는 다릅니다. 하나씩 살펴보도록 합시다.

먼저 제1항을 보겠습니다. 제1항에서는 토지를 공유하는 여러 사람이 있을 때, 그 중 1명은 지분에 관하여 그 토지를 위한 지역권, 또는 그 토지가 부담한 지역권을 소멸하게 할 수는 없다고 정합니다. 이게 무슨 말일까요?

우리는 예전에 공유의 개념에 대해 공부한 적이 있었습니다. 기억이 잘 안 나는 분들은 제263조 파트를 복습하고 오셔도 좋겠습니다. 그때 공부하기를, 공유의 개념상 그 공유지분이 구획이 칼같이 되어 있는 것이 아니라, 관념상 공유물의 전부에 미친다고 하였습니다.

예를 들어 A땅을 철수와 영희가 50%씩 공유하고 있다면, A 토지의 좌측 끝부터 4m까지만 철수가 이용할 수 있거나 가운데 10m 폭의 땅만 영희가 이용할 수 있는 것이 아니라, 철수와 영희는 공유물 전부를 자신의 지분의 비율로 사용, 수익할 수 있는 것입니다.

제263조(공유지분의 처분과 공유물의 사용, 수익) 공유자는 그 지분을 처분할 수 있고 공유물 전부를 지분의 비율로 사용, 수익할 수 있다.

따라서 이러한 '공유'의 특성을 생각해본다면, 여러 사람이 공유하는 어떤 땅에 지역권이 존재하는 경우에는(또는 어떤 땅이 다른 땅의 지역권을 위하여 편익을 제공하고 있는 경우에는), 그 지역권 역시 공유자 모두에게 영향을 미치는 것이라고 해석할 수밖에 없게 됩니다.

예를 들어 철수와 영희가 공유하는 땅 A에 왼쪽 끝 폭 10m, 길이 30m 만큼의 부분에 이웃 토지 통행을 위한 지역권(통행지역권)이 설정되어 있다고 해봅시다(지역권자는 A 땅 옆에 있는 B 땅의 주인). 이러한 경우 지역권이 설정된 부분 중 어떤 부분이 철수의 것이고, 어떤 부분이 영희의 것일까요? 공유의 개념에 따르면 이를 칼같이 나눌 수 없고, 나눌 수 없다면 철수와 영희 모두에게 영향을 미치는 것으로 해석하는 게 바람직하다는 것입니다.

결국 영희가 설령 통행지역권이 자신의 (공유지인) 땅 A에 설정된 것이 마음에 들지 않는다고 하더라도, "나는 이 땅에 대한 50%의 내 지분만큼은 통행지역권을 인정할 수 없어! 50%만큼 통행지역권 설정한 부분을 없앨 거야."라고 말할 수 없습니다.

지금 사례는 철수와 영희의 땅이 승역지인 경우인데, 요역지인 경우라도 논리는 똑같습니다. 만약 지역권을 소멸시키려고 한다면, 철수와 영희, 즉 공유자 전원이 소멸시키는 식으로 하여야지 공유자 중 1인이 단독으로 지역권의 일부분만을 소멸시킬 수는 없는 겁니다. 이것이 제1항의 의미입니다.

이제 제2항을 보겠습니다. 여기서는 토지의 분할, 일부양도의 경우 지역권은 요역지의 각 부분(또는 승역지의 각 부분)을 위하여 존속한다고 합니다. 다만, 지역권의 토지의 일부분에 관해서만 존재할 때에는 다른 부분에 대해서는 그렇지 않다고 하는데요. 무슨 의미일까요?

땅이라는 게 일부를 떼어서 팔 수도 있는 거고, 쪼개질 수도 있는 것입니다. 지적공부에 등록된 1개의 필지가 있다고 할 때, 이걸 2개 이상의 필지로 쪼개면 토지분할이 되는 거고, 1개의 필지 중 일부분을 떼어서 다른 사람에게 팔면 일부양도가 되는 것입니다(사실 일부양도를 하려면 애초에 토지를 분할해야 하는 거라서, 조문에 분할의 의미가 중복으로 쓰인 듯한 느낌은 있습니다).

그런데 토지분할이나 일부양도가 발생하는 경우에는 지역권은 어떻게 되는 걸까? 의문이 생길 수 있는데요, 제2항은 여기에 대한 답을 주고 있습니다.

예를 들어 보겠습니다. C 땅이 있는데, 이 땅의 소유자는 나부자입니다. 나부자의 옆에는 D 땅이 있고요, 그 땅의 소유자는 김불쌍입니다. D 땅은 맹지여서, C 땅을 지나지 않고는 도로로 나갈 수가 없습니다. 그래서 나부자는 김불쌍을 불쌍히 여겨, 자신의 C 땅 일부분에 통행지역권을 설정하여 주었습니다(지역권설정자: 나부자, 지역권자: 김불쌍).

그런데 나부자가 어느날 C 땅의 일부를 떼어서 철수에게 팔았습니다. 이제 나부자가 여전히 갖고 있는 C 땅의 일부를 아래와 같이 C1, 새로이 철수가 갖게 된 땅을 C2라고 합시다.

이렇게 되면, 원래 지역권이 설정되어 통행로로 써 오던 영역이 철수의 땅과 나부자의 땅으로 갈라지게 되는 것을 알 수 있습니다. 그러면 이제 김불쌍은 철수의 땅은 지나지 못하는 것일까요?

가능합니다. 제2항에서는, 이러한 경우라도 할지라도 지역권은 요역지(D 땅)를 위하여 승역지의 각 부분(C1과 C2)에 존속한다고 보고 있기 때문입니다.

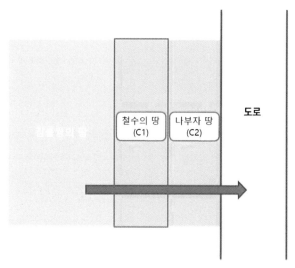

철수의 땅
(C1)

나부자 땅
(C2)

도로

철물상의 땅

　그렇다면 제2항 단서의 의미는 뭘까요? 위의 그림에서 C 땅이 세로가 아니라 가로로 갈라진 경우를 생각해 보시면 됩니다. 가로로 갈라서 아래쪽 땅이 철수의 것이라면, 통행로는 철수의 땅만을 지나게 됩니다. 이런 경우에는 나부자의 C1 땅은 더 이상 통행에는 필요가 없기 때문에 C1 땅의 지역권은 소멸하게 되고요, C2의 지역권만 여전히 존속하게 된다는 것입니다.

　오늘은 지역권의 불가분성에 대하여 알아보았습니다. 사실 지역권의 불가분성은 제293조에만 있는 것이 아니고 다른 조문에도 좀 흩어져 있는데, 차차 공부할 것이니 급하게 마음먹지 않아도 좋습니다. 내일은 지역권의 취득기간에 대해 공부하도록 하겠습니다.

제294조(지역권취득기간)

　지역권은 계속되고 표현된 것에 한하여 제245조의 규정을 준용한다.

　우리는 예전에 취득시효에 대해 공부한 적이 있었습니다. 기억나십니까? 가물가물하다면, 취득시효에 관한 제253조 파트를 복습하고 오셔도 좋습니다. 우리가 제245조, 제246조에서 공부하였던 것은 '소유권'의 취득시효에 관한 것이었는데, 이와 유사하게 지역권역시 시효로 취득하는 것이 가능합니다.

　지역권이 없는 경우에 지역권을 시효로 취득하는 방법은 2가지가있습니다. ①첫째, 어떤 요역지(편익을 받고 있는 땅)이 있는데, (이말은 근처의 다른 땅, 승역지에 지역권이 이미 설정되어 있다는 겁니다) 그 요역지를 시효취득함으로써 지역권을 함께 취득하는 것입니다.

　즉, 엄밀히는 지역권을 시효취득하는 것이 아니라 '땅' 자체를 시효취득함으로써 지역권도 함께 얻는 것입니다. 땅을 얻으면 지역권도 따라온다는 논리입니다. 이는 우리가 공부한 제292조에 따를 때자연스러운 결론입니다(지역권의 부종성). 복습 겸 한번 다시 읽어보시면 좋을 것 같습니다.

　②두 번째 방법은 원래 자기가 갖고 있는 땅(따라서 땅 자체를 시효취득할 필요는 없음)에 지역권을 새로이 취득하는 것입니다. 바로

이 ②의 방법이 제294조에서 규율하고 있는 내용이며, 위 ①의 방법은 제294조에 따르는 것이 아니라 일반적인 취득시효의 법리에 따라 해결하면 됩니다(김준호, 2017).

그런데 제294조는 지역권은 "계속되고 표현된" 것에 한해서 제245조의 규정을 준용한다고 되어 있습니다. 이게 무슨 뜻일까요? 아직 확실히는 모르지만 뭔가 제한이 걸려 있는 것 같습니다. 함께 봅시다.

> 제245조(점유로 인한 부동산소유권의 취득기간) ①20년간 소유의 의사로 평온, 공연하게 부동산을 점유하는 자는 등기함으로써 그 소유권을 취득한다.
> ②부동산의 소유자로 등기한 자가 10년간 소유의 의사로 평온, 공연하게 선의이며 과실없이 그 부동산을 점유한 때에는 소유권을 취득한다.

먼저 '계속된' 지역권이라는 것은 시간적으로 지역권이 중단이 되지 않는다는 것을 의미합니다. 또한, '표현된' 지역권이라는 것은 지역권을 행사하는 모습을 외부에서 인식할 수 있는 것을 의미합니다.

예를 들어, "요역지에 햇빛이 잘 들게 하기 위하여 승역지에 높은 건물을 세우지 못하도록 금지하는 지역권"이 설정되어 있는 경우, 이러한 지역권은 어떠한 행위를 '하지 않는 것'으로 권리가 실현되고 있다고 할 수 있으므로 외부에서 인식할 수가 없습니다. 건물이 없으니까, 일단 지역권은 잘 지켜지고 있기는 한데 제3자는 그런 사정을 눈으로 보고서는 알 수가 없지요. 땅이 텅 비어 있으니까요. 이것은 제대로 '표현'되지 않은 지역권이라고 할 것입니다.

반면에 통행로가 있다면, 누구라도 '아, 이 땅에는 저 땅과 연결되는 길이 나 있구나'라고 알 수 있을 것입니다. 이 경우는 지역권이 '표현'된 사례라고 할 수 있겠죠.

또한, 통행을 하기는 하는데 통로 없이 그냥 그때 그때 다니기만 하는 경우라면(간헐적으로만 통행하는 경우), 이는 권리의 내용(통행을 하는 것)이 때때로 중단되는 등 '계속'되지 않는 사례라고 할 것입니다. 따라서, 통로를 개설하고 통행을 하여야 '계속'된 지역권이라고 할 수 있을 겁니다.

다른 예를 들어 보겠습니다. 철수는 자신이 가진 조그마한 땅에 과수원을 일구고 있습니다. 그런데 잘 익은 과일을 떼어다 팔려고 보니까 자기 땅이 도로랑 연결이 안 되어 있습니다. 이에 철수는 자기 땅 옆에 있는 영희의 땅에 판자를 대어서 통로를 개설하고, 무단으로(?) 사용합니다.

그렇게 20년이 흘렀습니다. 20년이 경과한 후, 영희는 까맣게 잊고 있었던 자신의 땅에 오랜만에 방문합니다. 그런데 웬걸, 생각도 못한 통로가 큼지막하게 나 있고, 철수가 그 통로를 이용해서 과일을 가득 실어 옮기고 있었던 겁니다.

영희는 불같이 화를 내면서 자기 땅에 설치한 저 흉물스러운 통로를 치우라고 합니다. 그럼 철수는 어떻게 하면 될까요? 통로를 안 없애도 됩니다. "저는 통행지역권을 시효취득했으므로, 통로를 치울 필요가 없습니다."라고 말하면 되는 겁니다(추가로 등기를 해야 하는 요건이 있긴 한데, 이 부분은 여기에서는 중요한 건 아니니 해결되었다고 대충 넘어가겠습니다).

제294조는 제245조의 규정을 준용하고 있으니 이걸 조합해서 생각해 봅시다. 철수는 ①지역권을 행사하려는 의사로, ②평온, 공연하게 ③20년간 지역권을 행사해 왔으므로, ④등기를 함으로써 지역권을 취득할 수 있는 것입니다.

*제245조에서는 '소유의 의사'가 요건인데 여기서는 지역권에 관한 규정이니까 지역권을 행사하려는 의사로 해석하면 됩니다. '준용'의 의미에 대해서는 민법총칙 편을 참고하시기 바랍니다.

다만, 우리의 판례는 계속되고 표현된 지역권이라는 개념을 학설에서보다 좀 더 엄격하게 해석하는 경향이 있습니다. 먼저 "민법 제294조의 규정에 의하여 지역권은 계속되고 표현된 것에 한하여 민법 제245조의 규정을 준용하도록 되어 있으므로, 통행지역권은 요역지의 소유자가 승역지 위에 도로를 설치하여 승역지를 사용하는 객관적 상태가 민법 제245조에 규정된 기간 계속된 경우에 한하여 그 시효취득을 인정할 수 있다."라고 하고 있어(대법원 1992. 9. 8. 선고 92다20385 판결), 소위 '객관적 상태'가 제245조에서 정하는 기간 동안 계속되어야 한다고 보고 있습니다.

한편, "민법 제294조에 의하여 지역권을 취득하려면 그 지역권이 있다고 인정할 수 있는 행위가 계속되고 표현된 것에 한하여 민법 제245조의 규정이 준용된다 할 것이므로 요역지의 소유자가 타인의 토지를 20년간 통행하였다는 사실만으로서는 부족하고 요역지의 소유자가 승역지상에 통로를 개설하여 승역지를 항시 사용하고 있는 상태가 민법 제245조에 규정된 기간 계속한 사실이 있어야 할 것"이라고 하여(대법원 1970. 7. 21. 선고 70다772,773 판결), 이익을 받는 땅(요역지)의 주인이 통로를 개설하여야 한다고 보고 있습니다.

*다만, 굳이 요역지의 소유자가 직접 통로를 개설하여야만 하는지에 대해서는 학계에서 일부 비판도 있습니다. 관심 있는 분들은 참고문헌을 참조하여 주시기 바랍니다.

또한, "통행권이나 통행지역권은 모두 인접한 토지의 상호이용의 조절에 기한 권리로서 토지의 소유자 또는 지상권자 전세권자등 토지사용권을 가진자에게 인정되는 권리라 할 것이므로 위와 같은 권리자가 아닌 토지의 불법점유자는 토지소유권의 상린관계로서 위요지 통행권의 주장이나 통행지역권의 시효취득 주장을 할 수 없다."라고 하여(대법원 1976. 10. 29. 선고 76다1694 판결), 땅을 마음대로 불법 점유한 사람은 지역권의 시효취득을 주장할 수는 없다고 합니다.

이렇게 보면 판례의 태도가 좀 엄격하다고 볼 수는 있겠습니다. 하지만, 사실 지역권을 시효로 취득하는 것은 상당히 큰 이익이 때문에 그런 판례의 입장이 아주 이해가 안 되는 것은 아닙니다.

심지어 위 사례에서의 철수와 같이 지역권을 취득하는 경우에는 무상(!)의 지역권을 얻게 됩니다. 공짜로 남의 땅을 오갈 수 있는 권리가 생긴다는 것인데요, 그렇기에 20년, 평온, 공연 등 까다로운 요건들을 요구하고 있는 것입니다.

참고로 제294조는 제245조 전체를 준용하고 있기 때문에, 제245조제1항뿐 아니라 제245조제2항에 따른 등기부 취득시효도 가능하다는 점, 알고 넘어가시면 좋겠습니다. 물론 요건 역시 제245조제2항에 따른 요건을 준용하여야겠지요.

오늘은 지역권의 취효시득에 대해 알아보았습니다. 실제로 지역권의 시효취득이 적용되는 가장 흔한 사안은 '통로를 개설한 통행지역권'과 '수로를 개설한 용수지역권'이라고 합니다(홍동기, 2019). 왜 하필 통로와 수로가 꼭 있어야 하는지에 대해서는 앞서 계속성과 표현성의 측면에서 살펴보았으므로, 스스로 생각해 보시기 바랍니다.

*용수지역권에 대해서는 추후 제297조에서 좀 더 살펴볼 겁니다.

내일은 지역권의 취득과 불가분성에 대해 공부하도록 하겠습니다.

*참고문헌

김준호, 민법강의, 법문사, 제23판, 2017, 749면.

김용덕 편집대표, 「주석민법 물권3(제5판)」, 한국사법행정학회, 2019, 204-206면(홍동기).

제295조(취득과 불가분성)

①공유자의 1인이 지역권을 취득한 때에는 다른 공유자도 이를 취득한다.

②점유로 인한 지역권취득기간의 중단은 지역권을 행사하는 모든 공유자에 대한 사유가 아니면 그 효력이 없다.

앞서 제293조에서 우리는 지역권에는 불가분성이라는 특성이 있다는 것을 공부하였습니다. 그런데 불가분성이라는 것이 제293조만으로 끝나는 것은 아닙니다. 제295조에서 다시 등장합니다.

제293조제1항에서, 땅을 공유하는 사람 중 1인이 자신의 지분에 대해서만 지역권 일부를 소멸시킬 수는 없다고 공부했었습니다. 공유자가 자기 마음대로 지역권의 일부분만을 떼어서 없앨 수는 없다는 거지요.

제293조(공유관계, 일부양도와 불가분성)①토지공유자의 1인은 지분에 관하여 그 토지를 위한 지역권 또는 그 토지가 부담한 지역권을 소멸하게 하지 못한다.

이처럼 제293조제1항에서 '소멸'에 대해 규정했다면, 오늘 공부할 제295조제1항은 '취득'에 대해 규정합니다. 제295조제1항은 공유자 중 1인이 지역권을 취득한 때에는 다른 공유자도 이를 취득한다고 정하고 있습니다. 다시 말해, 우리 민법은 지역권에 관하여 **공**

유자 중 1인에게 소멸사유가 생기더라도 지역권이 소멸하지 않도록 하면서, 공유자 중 1인에게 취득사유가 생긴 때에는 공유자 전부가 취득하도록 하고 있는 것입니다(김준호, 2017). 이는 되도록 지역권의 성립이나 존속은 쉽게, 소멸은 어렵게 만들어 놓음으로써 지역권을 보호하려는 민법의 취지가 담겨 있다고 볼 수 있겠습니다.

예를 들어 철수와 영희가 어떤 땅의 공유자(지분 50%씩 소유)인데, 철수가 이웃한 땅 주인을 찾아가 통행을 위한 지역권을 따냈다면, 가만히 있었던 영희 역시 (어부지리로) 철수와 더불어 지역권자가 되는 것입니다. 철수 입장에서는 영희가 얄미울 수는 있겠네요.

제295조제2항은, 지역권 취득시효의 중단은 지역권을 행사하는 모든 공유자에게 해당하는 사유가 아니면 효력이 없다고 규정합니다. 이건 무슨 말일까요? 예를 들어 보겠습니다.

철수와 영희는 어떤 땅의 지분을 50%씩 가진 공유자로서, 자신들의 땅으로부터 큰 대로변으로 나가기 위해서 이웃의 땅을 통행로로 이용하고 있습니다. 그런데 이웃 땅 주인에게 허락을 받은 것이 아니라, 그냥 막 쓰고 있습니다.

우리가 앞서 공부하기를 지역권 역시 시효취득할 수 있다고 하였으므로, 시효취득의 요건을 충족하면 철수와 영희는 (비록 이웃 땅 주인의 허락을 받지 않았어도) 지역권을 취득할 수 있습니다.

여기서 만약 이웃 땅의 주인인 나부자가 철수와 영희의 지역권 취득을 저지하려면, 취득시효를 중단시키는 등의 방법을 사용해야 합니다. 우리는 앞서 취득시효에 대해 공부하면서, 소멸시효의 중단에 대한 규정이 취득시효에 준용된다고 공부했습니다. 상세한 내용은 제247조 및 민법총칙 파트를 참고하시기 바랍니다.

제247조(소유권취득의 소급효, 중단사유)
　②소멸시효의 중단에 관한 규정은 전2조의 소유권취득기간에 준용한다.
제168조(소멸시효의 중단사유) 소멸시효는 다음 각호의 사유로 인하여 중단된다.
　1. 청구
　2. 압류 또는 가압류, 가처분
　3. 승인

이제 이웃 땅의 주인인 나부자가, "더 이상 내 땅을 당신들의 통행로로 사용하지 마라."라고 하면서 소송을 제기했다면, 이러한 행위는 재판상 청구로서 시효중단의 사유가 될 것입니다.

그런데 나부자가 철수와 영희 중에 영희에 대해서만 소송을 제기하였다고 합시다. 즉, 제295조제2항에서 말한 것과 달리 공유자 1인에 대해서만 취득시효의 중단 사유가 발생한 것입니다.

민법 제169조는 시효중단이 당사자(또는 승계인)에게만 효력이 있다고 말하고 있으므로, 이 사례에서 철수에게는 시효중단의 효력이 발생하지 아니합니다. 따라서 나부자가 아무리 영희와 재판에서 밀고 당기고 물어뜯고 싸워서 이긴다고 하더라도, 재판과 상관없는 철수는 여전히 시효가 진행 중에 있으며 시효가 완성되면 지역권을 취득하게 되는 것입니다.

제169조(시효중단의 효력) 시효의 중단은 당사자 및 그 승계인간에만 효력이 있다.

문제는 만약 시효가 중단되지 않은 철수가 계속 지역권 행사의 의사로 평온, 공연하게 지역권을 행사하여 20년의 기간이 경과하였다면, 철수는 지역권을 취득하게 되는데, 오늘 공부한 제295조제1항에 따르면 공유자의 1인이 지역권을 취득하는 경우 다른 공유자(영희)도 취득하게 되므로(지역권의 불가분성), 결국 나부자는 영희에게 시효중단을 시킨 의미가 없게 되어 버립니다. 그래서 제295조제2항은 기왕 시효중단의 조치를 취하려거든 공유자 '전원'에게 하여야 한다고 규정하고, 그렇지 않으면 효력이 없다고 하는 것입니다.

결국 제295조와 앞서 공부한 제293조를 결합해서 생각해 보면, 우리 민법은 지역권의 취득은 쉽게 하면서 소멸은 까다롭게 만들어, 최대한 지역권이라는 제도를 보호하기 위한 장치들을 두고 있다는 것을 알 수 있습니다. 이러한 민법의 취지를 이해하면, 공부하는 데에 더 도움이 될 것입니다.

오늘은 지역권의 취득에 있어서 불가분성을 공부하였습니다. 내일은 소멸시효의 중단, 정지에 관련한 불가분성을 살펴보도록 하겠습니다.

*참고문헌

김준호, 「민법강의(제23판)」, 법문사, 2017, 747면.

제296조(소멸시효의 중단, 정지와 불가분성)

요역지가 수인의 공유인 경우에 그 1인에 의한 지역권소멸시효의 중단 또는 정지는 다른 공유자를 위하여 효력이 있다.

어제 우리는 지역권을 최대한 보호하고자 하는 민법의 태도에 대해 공부하였습니다. 오늘 알아볼 제296조 역시 그 맥락에서 이해할 수 있습니다. 제296조는 소멸시효에서의 지역권의 불가분성을 규정하고 있는데, 요역지를 여러 사람이 공유하고 있는 경우, 그 중 1명에 대한 (지역권) 소멸시효의 중단이나 정지는 다른 공유자에게도 효력이 있다는 것입니다.

예를 들어 보겠습니다. 요역지 A의 소유자는 철수와 영희로, 각각 50%씩 지분을 갖고 있습니다. 철수와 영희는 승역지 B에 통행로를 설치하고, 지역권을 행사하고 있습니다. 그런데 어느 순간부터 땅에 별로 갈 일이 없어져서, 영희와 철수는 통행로를 사용하지 않고 있었습니다.

지역권에도 소멸시효가 적용되기 때문에, 우리가 공부하였던 민법 제162조에 따라 '채권 및 소유권 이외의 재산권'에 해당되어 20년간 행사되지 않으면 소멸하게 됩니다(소멸시효에 관하여는 [민법총칙] 편 참고).

제162조(채권, 재산권의 소멸시효) ①채권은 10년간 행사하지 아니하

철수와 영희가 통행로를 오래 사용하지 않아, 통행로에는 먼지가 끼고 나무판자가 낡기 시작했습니다. 이 모습을 지켜보던 승역지 B의 소유자 나부자는, "저놈들이 지역권만 따내고 통행로를 쓰지 않는군. 소멸시효가 완성되면 통행로를 바로 치워 버려야겠다."라고 생각합니다.

그렇게 나부자가 20년의 소멸시효가 완성되기를 기다리던 어느 날, 소멸시효 완성까지 얼마 남지 않은 시점에 영희가 소멸시효를 중단시키는 행위를 해버렸다고 합시다. 그러면 나부자는 다시 20년을 기다려야 소멸시효 완성을 노려볼 수 있습니다.

제296조에 따르면, 이러한 영희의 소멸시효 중단 행위는 철수에게도 영향을 미치게 되어, 딱히 별 노력도 하지 않았던 철수이지만 소멸시효가 중단되는 이익을 맛보게 됩니다. 왜 이렇게 규정하고 있는지는 어제 공부한 제295조의 취지에 비추어 이해하실 수 있을 것입니다.

오늘은 지역권의 소멸시효와 불가분성에 대해 공부하였습니다. 내일은 용수지역권에 대해 알아보겠습니다.

제297조(용수지역권)

①용수승역지의 수량이 요역지 및 승역지의 수요에 부족한 때에는 그 수요정도에 의하여 먼저 가용에 공급하고 다른 용도에 공급하여야 한다. 그러나 설정행위에 다른 약정이 있는 때에는 그 약정에 의한다. ②승역지에 수개의 용수지역권이 설정된 때에는 후순위의 지역권자는 선순위의 지역권자의 용수를 방해하지 못한다.

제297조는 용수지역권에 관한 내용입니다. 우리는 '용수'라는 단어를 물권편에 들어오면서 종종 발견하곤 했습니다. 용수(用水)란 물을 사용한다는 뜻입니다. 따라서 용수지역권은 물을 사용하기 위한 지역권이라고 할 수 있습니다.

예를 들어 철수가 자신의 땅에서 농사를 지으려고 하는데, 물 공급이 조금 어려운 사정이 있다고 합시다. 그래서 이웃 땅의 소유자인 영희와 용수지역권 설정계약을 맺고, 영희의 땅으로부터 물을 끌어다 쓸 수 있도록 하였다고 합시다.

그런데 생각보다 영희의 땅에서 나는 물의 양이 좀 적었다고 가정하겠습니다. 얼마나 적었냐 하면 철수의 땅에 물을 공급하고 나면 영희가 쓸 물이 아예 없는 수준이었던 겁니다. 그러면 영희는 철수의 지상권 행사를 위해서 자기 집에서 쓰는 물도 포기하고, 세수도 못하고 목욕도 못한 채(?) 자기 땅에서 나는 물을 철수의 땅에 최우선적으로 보내야 하는 걸까요?

제297조제1항 본문에 따르면, 그건 아니라는 겁니다. 승역지에서 나오는 물의 양이 요역지와 승역지에 필요한 양보다 적을 때에는, 그 필요한 정도에 따라 우선 가정용(본문에서는 '가용'(家用)이라고 표현하고 있습니다만, 가정용이라는 뜻입니다)으로 먼저 쓰라는 것입니다. 생활에 필요한 용도로 사용하는 물을 우선적으로 보호하려는 민법의 취지를 알 수 있습니다.

따라서 물이 적은 이 마당에는 영희뿐만 아니라 철수도 자신의 땅에서 가정용으로 물을 우선 공급해야 하며, 그 후에도 물이 남으면 다른 용도(농업이나 공업 등)로 물을 공급하게 됩니다. 철수도 물론 물을 공급받기는 하지만, 철수와 영희 모두 가정용으로 먼저 물을 사용하여야 한다는 것이며, 쌍방이 모두 가정용으로 물을 사용할 때에는 그 수요에 따라 물의 공급을 배분하면 됩니다(김준호, 2017).

다만 이러한 물 배분법은 어디까지나 지역권을 설정할 때 별도의 약정이 없었던 경우에 해당되며, 다른 약정이 있는 경우에는 그에 따라야 합니다(제297조제1항 단서). 제297조제1항 본문은 강행규정이 아니기 때문입니다.

제2항은 여러 개의 지역권이 설정된 경우를 말하는데요, 영희가 자신의 땅에 용수지역권을 철수에게 설정해준 후, 근처에 있는 다른 땅의 소유자인 나부자에게도 용수지역권을 하나 내줬다고 합시다. 아마 영희가 여러 모로 돈이 급했나 보죠. 어쨌건 이런 경우 먼저 지역권을 취득한 철수가 선순위(앞선 순위) 지역권자가 되며, 나중에

지역권을 취득한 나부자가 후순위 지역권자가 됩니다.

이 경우 설령 영희가 자신의 땅에 있는 물을 철수에게 나눠주고 나면 나부자에게 나눠줄 물이 부족하다고 하더라도, 후순위 지역권자인 나부자는 선순위 지역권자인 철수의 물 사용을 방해할 수 없습니다. 철수의 지역권이 보다 앞선 순위에 있기 때문입니다.

사실 제297조제2항에서 말하는 내용은 지역권뿐만 아니라 물권 자체에 인정되는 성질인 배타성에 따라 당연히 인정되는 것입니다. 이는 채권과 달리 물권에 인정되는 성질로서, 중요하기 때문에 여기서 한번 언급하고 가도록 하겠습니다.

물권은 독립된 물건을 직접 지배하여 이익을 얻는 것을 내용으로 하는 권리입니다. 따라서 하나의 물건에 여러 개의 상충되는 물권이 존재하는 상황은 논리적으로 성립하기가 어렵습니다.

예를 들어 물권 중 하나인 소유권에 대해 생각해 볼까요? 볼펜 1 개에 대해서 소유권이 2개라고 하면 뭔가 상상하기가 힘들게 됩니다. 공동소유라는 개념을 우리가 공부하긴 했지만, 그것도 소유권이 여러 개인 것은 아니라고 확실히 공부했었습니다.

이와 같이 하나의 물건 위에 서로 내용이 상충되는 여러 개의 물권이 존재해서는 안된다는 것이 바로 물권의 배타성(排他性)입니다. '배타성'이라는 것이 다른 것을 배척한다는 의미로 일상에서 사용된다는 점을 생각하면, 그럭저럭 이해할 만합니다.

그리고 우리 민법은 이와 같은 물권의 배타성을 보장해 주기 위해 물권의 배타적 지배가 방해를 받고 있는 경우에는 권리자에게 물권적 청구권을 인정해 주고 있는 것입니다.

또한, 적어도 제3자의 입장에서 누군가에게 물권이 있는지 없는지는 알아야 그의 배타적 지배를 침해하지 않을 것이기 때문에, 자연스럽게 공시제도가 중요한 의미를 갖게 됩니다(지원림, 2013).

우리가 지금까지 공부한 물권적 청구권, 그리고 일상에서 자주 접하는 부동산등기 같은 공시제도가 물권의 배타성과 밀접하게 관련되어 있다는 사실, 기억해 두시기 바랍니다.

다만, 바꿔 말하면 서로 내용이 상충되지 아니하는 물권이라면 1개의 물건 위에도 함께 존재할 수 있습니다. 예를 들어 '소유권'과 '저당권' 같은 물권이 1필의 토지 위에 동시에 존재하는 것이 그러합니다. 소유권과 저당권, 지역권, 지상권 같은 것들은 물권이라는 공통점이 있더라도 서로 그 성질이 완전히 다르기 때문에 이러한 공존이 가능합니다.

소유권의 경우는 불가능하지만, 같은 성질의 물권 사이에서도 서로 상충되지 않는 범위에서는 1개의 물건 위에 여러 개의 물권이 존재할 수 있는데 바로 우리가 위에서 공부한 지역권이 그러합니다. 1순위 지역권, 2순위 지역권, 이런 식으로 여러 개의 지역권이 하나의 승역지 위에 동시에 존재할 수 있습니다.

　예를 들어 승역지에서 물이 100리터가 나오는데, 승역지 자체에서 사용하는 양이 20리터, 1순위 요역지에서 사용하는 양이 20리터, 2순위 요역지에서 사용하는 양이 20리터... 이런 식으로 용수지역권을 여러 개 설정할 수 있는 것입니다.

　그러나 어디까지나 지역권도 물권이기 때문에 여러 개의 권리가 동시에 존재할 때에는 시간적으로 먼저 성립한 물권이 나중에 성립한 물권에 우선하는 효력을 갖게 되며, 그 결과 후순위 지역권자는 선순위 지역권자의 권리를 침해할 수 없게 됩니다. 이처럼 물권의 순위를 따지는 모습은 나중에 공부하게 될 저당권에서 특히 자주 보게 될 텐데요, 오늘은 우선 여기까지만 하도록 하겠습니다.

　오늘은 용수지역권에 대해 알아보았습니다. 물권의 배타성에 대해 공부한 부분을 잊지 마시고요, 내일은 승역지 소유자의 의무와 승계에 대해서 공부하겠습니다.

*참고문헌

김준호, 「민법강의(제23판)」, 법문사, 2017, 751면.

지원림, 「민법강의(제11판)」, 홍문사, 2013, 444면.

제298조(승역지소유자의 의무와 승계)

계약에 의하여 승역지소유자가 자기의 비용으로 지역권의 행사를 위하여 공작물의 설치 또는 수선의 의무를 부담한 때에는 승역지소유자의 특별승계인도 그 의무를 부담한다.

남의 땅에 이익을 주는 승역지의 경우, 승역지 소유자는 기본적으로 지켜야 할 의무사항이 있습니다. 남의 땅에 편익을 제공하고 있는데 거기에 의무까지 있다니 뭔가 억울하다고 생각하실 수도 있겠지만, 지킬 것은 지켜야 합니다.

먼저 기본적으로 승역지의 소유자는 지역권의 내용에 따라 지역권자의 행위를 허용할 의무, 그리고 일정한 이용을 하지 아니할 부작위(不作爲)의무를 집니다(박동진, 2022). '부작위'란 한자 그대로 번역하자면 '작위'(의식적으로 행동하다)하지 않는다(不)는 것으로서, '행동하지 않는다'라는 의미입니다. 따라서 부작위의무란 단순하게 생각하면 어떤 행위를 하지 말아야 할 의무라고 할 수 있습니다.

결국 풀어서 보자면 승역지 소유자는 지역권자가 정당하게 스스로의 지역권을 행사하는 것을 참고 허락해 주어야 하고요, 한편으로는 지역권 설정계약에 따라 하지 않기로 했던 행위는 해서는 안 되는 겁니다.

예를 들어 지역권 설정계약을 하면서 승역지에 고층건물을 짓지 않기로 약정해 놓고, 고층건물을 짓는 행위를 해버린다면 그것은 부작위의무를 저버린 것이라고 할 수 있지요. 생각해 보면 이런 의무가 없다면 지상권 제도는 있으나마나 할 것이니까, 당연한 부분이라고 할 수 있습니다.

그런데 제298조는 여기에 더해서 한 가지 의무를 추가하고 있습니다. 승역지의 소유자가 자신의 비용으로 공작물의 설치, 수선 등 의무를 지기로 한 경우에는 그 특별승계인 역시 의무를 부담하게 된다는 것입니다.

*특별승계의 의미에 대해서는 [민법총칙]에서 다루었으므로 별도로 상세히 설명드리지는 않겠습니다. 간단히 말씀드리자면, 특별승계란 상속·합병과 같은 포괄승계가 아닌 원인에 따라 권리를 취득하는 것(대표적인 예로 매매계약)이라고 말씀드렸습니다.

예를 들어 보겠습니다. 철수는 자신의 땅(요역지)으로부터 도로로 이어지는 통행로를 마련하기 위해 이웃 땅(승역지)의 소유자 영희와 지상권 설정계약을 맺었습니다. 그 계약서에는 '철수는 영희의 땅 중 일부를 통행로로 이용할 수 있으며, 통행시설은 영희가 자신의 돈으로 설치하고 관리한다'라고 되어 있었습니다.

자기 땅을 쓰게 해 주면서 이런 불공정 계약을 맺는 바보가 어디 있겠냐고 생각하실 수 있습니다. 물론 현실에서 이런 계약이 흔치는 않지만, 의외로 철수가 지역권의 대가로 큰돈을 주기로 했다면 얘기가 다를 수도 있을 것입니다.

어쨌건 영희는 그런 계약을 맺었습니다. 그래서 철수는 영희가 승역지에 통행시설을 설치하기를 오매불망 기다리고 있었지요. 그런데 영희는 갑자기 급전이 필요하다면서 자신의 땅을 나부자에게 팔아 버렸습니다.

철수는 당황해서 나부자를 찾아가 보았지만, 나부자는 "통행시설 설치는 내 알 바 아니다."라고 우깁니다. 이런 경우 철수는 제298조를 들어 나부자 역시 영희의 특별승계인으로서 공작물의 설치의무에서 자유롭지 않다는 것을 지적할 수 있을 것입니다.

그런데, 사실 이러한 의무는 지역권의 내용으로서 특별승계인에게 당연히 부여되는 것이기 때문에, 딱히 제298조가 없더라도 인정되는 것이긴 합니다. 그래서 제298조는 어찌 보면 당연한 내용을 한번 더 강조한 느낌이라고도 할 수 있겠습니다. 다만, 이러한 내용을 가지고 특별승계인에게 대항하기 위해서는 지역권을 설정할 때 부동산등기를 하여야 할 것입니다. 우리의 「부동산등기법」에도 제298조의 약정은 등기하도록 규정되어 있지요(지원림, 2013).

부동산등기법
제70조(지역권의 등기사항) 등기관이 승역지의 등기기록에 지역권설정의 등기를 할 때에는 제48조제1항제1호부터 제4호까지에서 규정

한 사항 외에 다음 각 호의 사항을 기록하여야 한다. 다만, 제4호는 등기원인에 그 약정이 있는 경우에만 기록한다.

1. 지역권설정의 목적
2. 범위
3. 요역지
4. 「민법」제292조제1항 단서, 제297조제1항 단서 또는 제298조의 약정
5. 승역지의 일부에 지역권설정의 등기를 할 때에는 그 부분을 표시한 도면의 번호

오늘은 승역지소유자의 의무와, 그 특별승계인의 의무까지 알아보았습니다. 내일은 위기에 따른 부담면제에 대해 살펴보겠습니다.

*참고문헌

박동진, 「물권법강의(제2판)」, 법문사, 2022, 344면.

지원림, 「민법강의(제11판)」, 홍문사, 2013, 692면.

제299조(위기에 의한 부담면제)

승역지의 소유자는 지역권에 필요한 부분의 토지소유권을 지역권자에게 위기하여 전조의 부담을 면할 수 있다.

표현이 조금 난해합니다. 제299조에서는 위기(委棄)라는 잘 안 쓰는 단어가 나오는데, 이건 일상생활에서 주로 사용하는 위기(危機, 위험한 고비라는 의미)와는 한자도 다르고 의미도 전혀 다릅니다.

제299조에서는 '맡길 위'에 '버릴 기'의 한자를 사용하는데요, 직역하자면 맡겨 버리고 내버려 둔다는 의미 정도가 되겠습니다. 법학에서는 여기서의 '위기'를 승역지를 지역권자의 처분에 맡기기 위하여 그 소유권을 포기하는 행위로서 물권적 단독행위로 봅니다(경수근 외, 2009).

이걸로는 애매하니 예를 들어 보겠습니다. 어제 우리는 승역지소유자의 의무에 대해서 공부했었지요. 철수(요역지 소유자)와 영희(승역지 소유자)가 지상권 설정계약을 맺고, 영희가 통행시설을 설치하기로 했다고 합시다.

그런데 막상 계약을 하고 보니 영희 입장에서는 좀 부담스러운 겁니다. 통행로를 내줘가지고는 그 부분에 배추를 심을 수도 없고, 또 시설도 자기가 계속 관리하고 해야 하는데 귀찮은 겁니다.

특히 영희가 만약 나부자에게 땅을 팔기라도 한다면, 나부자 입장

에서는 자기가 맺었던 계약도 아닌데 제298조에 따라 특별승계인
으로서 의무를 져야 하니까 기분이 더욱 안 좋을 수 있습니다. 이런
경우, 영희(땅을 판 이후라면 나부자)는 지역권에 필요한 승역지의
일부 부분의 소유권을 '버리고', 대신 그 일부분의 소유권은 지역권
자에게 '맡겨지는' 행위를 할 수 있는데 이것을 〈위기〉라고 부르는
것입니다.

따라서 위기를 실시함에 따라 승역지의 일부분 토지소유권은 영
희(승역지소유자)에게서 철수(지역권자)에게로 (무상으로) 넘어가
게 되고, 요역지소유자는 민법 제186조에 따라 소유권이전등기를
하게 되면 완전히 해당 부분 땅의 소유자가 됩니다.

또 지역권자의 입장에서는 승역지의 소유권을 취득하기 때문에
'혼동'이 발생하게 되어 지역권이 소멸하게 되는 효과가 발생하게
됩니다(혼동의 개념에 대해서는 제191조 파트 참조).

제186조(부동산물권변동의 효력) 부동산에 관한 법률행위로 인한 물권
　의 득실변경은 등기하여야 그 효력이 생긴다.

다만, 제299조의 위기는 우리가 일반적으로 생각하는 단순한 의
미의 '소유권의 포기'와는 개념이 다릅니다. 단순히 소유권의 포기
라고 했을 때에는 지역권자가 당연히 소유권을 취득하는 것이 아니
고, 주인 없는 부동산이 되어 민법 제252조에 따라 국유로 되어 버

리기 때문입니다(홍동기, 2019). <mark>양자는 둘 다 단독행위인 건 맞지만 동일한 개념은 아니라는 것</mark>에 주의하시기 바랍니다.

> 제252조(무주물의 귀속) ①무주의 동산을 소유의 의사로 점유한 자는 그 소유권을 취득한다.
> ②무주의 부동산은 국유로 한다.
> ③야생하는 동물은 무주물로 하고 사양하는 야생동물도 다시 야생상태로 돌아가면 무주물로 한다.

*제299조의 위기의 경우, 우리의 학설은 승역지소유자의 (지역권자에 대한) 일방적인 의사표시이므로 계약이 아닌 상대방 있는 단독행위라고 보고 있습니다(강태성, 2015). 또한, (1)위기가 있던 시점에 바로 민법 제298조의 의무가 면제되는지, 소유권이전등기까지 완료한 시점에 의무가 면제되는지 여부(다수설은 전자의 입장을 취함), (2)위기에 따라 지역권자가 갖는 등기청구권이 물권적 성질을 갖는지 여부(다수설은 그렇다는 입장)에 대해서는 학설의 논란이 있기는 합니다. 그러나 여기서 설명하기엔 너무 내용이 복잡하고 굳이 지금 단계에서 필요하지도 않기 때문에, 관심이 있는 분들은 따로 아래 참고문헌 논문의 517면과 520면을 참조하시기 바랍니다.

오늘은 위기의 개념과 승역지소유자가 부담을 탈출하는 방법에 대해 알아보았습니다. 사실 여기서 쓰는 '위기'라는 단어 자체가 굉장히 생소하기 때문에, 용어를 쉽게 개정할 필요가 있다는 언론의 지적이 있기도 했습니다(법률방송뉴스, 2018). 민법이 오래된 법률이다 보니 낯선 용어가 많아 아쉬운 점은 분명히 있는 것 같습니다.

내일은 공작물의 공동사용에 대해 알아보도록 하겠습니다.

*참고문헌

강태성, "물권의 포기에 관한 종합적·비판적 검토", 동아대학교 법학연구소, 동아법학(66), 2015. 2., 493면.

경수근·신영한·이기욱, 민법주석대전, 법률미디어, 2009, 1357면.

김용덕 편집대표, 「주석민법 물권3(제5판)」, 한국사법행정학회, 2019, 223면(홍동기).

법률방송뉴스, ""위기의 자유한국당, 위기의 보수"... '위기(危機)' 아닌 위기, '위기(委棄)'의 민법", 2018.6.14.,

https://www.ltn.kr/news/articleView.html?idxno=10228, 2024.1.11. 확인.

제300조(공작물의 공동사용)

①승역지의 소유자는 지역권의 행사를 방해하지 아니하는 범위내에서 지역권자가 지역권의 행사를 위하여 승역지에 설치한 공작물을 사용할 수 있다.
②전항의 경우에 승역지의 소유자는 수익정도의 비율로 공작물의 설치, 보존의 비용을 분담하여야 한다.

제300조제1항을 보겠습니다. 승역지(편익을 제공한 땅)의 소유자는 지역권의 행사를 방해하지 않는 범위 내에서는 지역권 행사를 위해 설치된 공작물을 사용할 수 있다고 합니다. 물론, 지역권의 행사를 상식적으로 당연히 방해해서는 안 되겠지요.

또한, 제2항에서는 이처럼 승역지 소유자가 공작물을 사용하는 경우에는 수익을 얻는 비율에 따라 공작물의 설치 및 보존에 들어가는 비용을 나누어 부담하여야 한다고 규정하고 있습니다. 아무 책임도 없이 사용하게 해주는 것은 공평하지 않으니까, 이 정도 규정은 있어야 한다고 볼 수 있을 것입니다.

우리는 이와 유사한 규정을 전에 본 적이 있었습니다. 바로 제227조인데요, 거기서는 물을 흐르게 만들기 위하여 설치한 시설물을 자기 것이 아닌 경우에도 사용할 수 있도록 하고 있었습니다. 대신, 그 이익의 비율에 따라 설치 및 보존의 비용을 내라고 하여 공평을 기하고 있었지요. 또한, 제230조 역시 제2항에서 유사한 형태의 비용

분담 규정을 두고 있었음을 참고하시면 좋을 듯합니다. 구체적인 각 조문의 내용은 해당 파트를 복습해 주시면 감사하겠습니다.

제227조(유수용공작물의 사용권) ①토지소유자는 그 소유지의 물을 소통하기 위하여 이웃 토지소유자의 시설한 공작물을 사용할 수 있다. ②전항의 공작물을 사용하는 자는 그 이익을 받는 비율로 공작물의 설치와 보존의 비용을 분담하여야 한다

제230조(언의 설치, 이용권) ①수류지의 소유자가 언을 설치할 필요가 있는 때에는 그 언을 대안에 접촉하게 할 수 있다. 그러나 이로 인한 손해를 보상하여야 한다. ②대안의 소유자는 수류지의 일부가 자기소유인 때에는 그 언을 사용할 수 있다. 그러나 그 이익을 받는 비율로 언의 설치, 보존의 비용을 분담하여야 한다.

오늘은 승역지 소유자의 공작물 공동이용에 관한 내용을 살펴보았습니다. 내일은 준용규정을 간단하게 보도록 하겠습니다.

제301조(준용규정)

제214조의 규정은 지역권에 준용한다.

그동안 여러 차례 말씀드렸듯이, 지역권은 물권의 일종입니다. 따라서 지역권을 가진 자, 즉 지역권자는 물권적 청구권을 가지게 됩니다. 그런데 물권적 청구권이란 뭘까요? 한자를 직역하자면 물권에 의해서 무엇인가를 요구할 수 있는 권리라고 대충 이해할 수 있을 것입니다.

물권적 청구권이란, 물권 내용이 완전히 실현되는 데에 방해를 받고 있거나, 방해를 받을 '염려'가 있는 경우에 그 방해자에 대해서 방해의 제거(또는 예방에 필요한 행위) 등 물권 내용의 실현을 가능하게 하는 행위를 청구할 수 있는 권리를 말합니다.

물권적 청구권은 크게 3가지로 분류할 수 있는데요, ①타인이 권원 없이 물권의 목적물을 점유하는 경우에 그 점유를 회복하기 위하여 반환을 청구할 수 있는 권리(**반환청구권**), ②물권자가 점유침탈이 아닌, 다른 형태로 물권의 실현을 방해받는 경우 그 방해를 제거해 줄 것을 청구할 수 있는 권리(**방해제거청구권**), ③현재, 지금 당장은 물권의 실현이 방해를 받고 있는 것은 아니나, 장래 방해가 생길 염려가 있는 경우에 그 (방해의) 예방을 청구할 수 있는 권리(**방해예방청구권**)가 그것입니다(지원림, 2013).

만약 '물권'은 존재하는데 이와 같은 '물권적 청구권'은 인정해 주지 않는다면, 우리의 법률이 물권을 제대로 보호해 줄 수 없게 됩니다.

그런데 위의 3가지 유형은 어디서 많이 들어본 말인 것 같습니다. 네, 이미 우리가 공부한 내용 중에 있습니다. 대표적인 물권이라고 할 수 있는 '소유권'의 경우, 우리가 이미 공부한 소유물반환청구권(제213조), 소유물방해제거청구권 및 방해예방청구권(제214조)이 바로 이러한 물권적 청구권의 예시라고 할 수 있을 것입니다. 내 물건을 내가 쓰려는데 남이 방해한다면, 그 방해꾼에게 방해를 하지 말 것을 요구할 수 있는 거지요.

여기서 눈치가 빠른 분들은 물권적 청구권이라는 개념이 있으니, 아마 채권적 청구권이라는 개념도 있을 것으로 예상하셨을 겁니다. 네, 채권적 청구권이라는 것이 존재합니다. 사실 여기서 물권적 청구권과 채권적 청구권을 비교하면서 더 설명을 드리면 좋겠지만, 채권 파트에서 본격적으로 설명을 드릴 예정이므로, 지금 시점에서는 두 가지를 비교하기보다 물권적 청구권에 대해서만 언급하고 넘어가는 것으로 정리하겠습니다.

*한편 '물권적 청구권' 자체가 '물권'의 성질을 갖는 것인지, '채권'의 성질을 갖는 것인지는 학설의 논란이 있습니다. 다수의 견해는 대체로 "물권의 효력으로 발생되는 청구권이지만 채권에 준하는 특수한 청구권" 정도로 정리하고 있는 것으로 보입니다. 또한, 물권적 청구권이 소

멸시효의 대상이 되는지에 대해서도 학설의 논쟁이 있습니다. 대체로 소유권에 기한 물권적 청구권은 소멸 시효의 대상이 되지 않고, 제한 물권에 기한 물상청구권은 소멸시효의 대상이 된다고 보는 경향으로 정리된 것으로 보입니다(사동천, 2017). 물권적 청구권의 법적 성질과 관련된 논의를 여기서 하기에는 내용이 너무 길어질 수 있으므로, 그냥 이런 논의가 있다는 정도로만 알고 지나가시면 되겠습니다.

어쨌거나 지역권도 물권이고, 따라서 그 권리의 실현을 방해하는 것들(?)을 쳐낼 수 있는 청구권도 인정이 되어야 겠지요. 그런데 한 가지, 우리가 공부한 소유권의 물권적 청구권 중에서 제301조는 (제213조는 빼고), 제214조만을 준용하고 있습니다. 왜 그럴까요?

> 제213조(소유물반환청구권) 소유자는 그 소유에 속한 물건을 점유한 자에 대하여 반환을 청구할 수 있다. 그러나 점유자가 그 물건을 점유할 권리가 있는 때에는 반환을 거부할 수 있다.
> 제214조(소유물방해제거, 방해예방청구권) 소유자는 소유권을 방해하는 자에 대하여 방해의 제거를 청구할 수 있고 소유권을 방해할 염려 있는 행위를 하는 자에 대하여 그 예방이나 손해배상의 담보를 청구할 수 있다.

그건 지역권은 점유를 포함한 권리가 아니기 때문입니다. 예를 들어 철수(요역지 소유자)가 영희(승역지 소유자)와 지역권 설정계약을 맺고 지역권자가 되었다고 해도, 철수는 기껏해야 영희의 땅에 통행로를 낸다든가 할 수 있을 뿐, 영희의 땅(승역지)을 점유할 수 있는 권리를 획득한 것은 아닙니다. 그렇기 때문에 애초에 점유를 전제로 한 제213조는 지역권의 성질에 비추어 준용할 수가 없는 것이지요(홍동기, 2019).

대신 제214조는 제301조에서 명시적으로 준용하고 있기 때문에, 지역권자인 철수는 자신의 지역권 행사를 방해하거나 방해가 예상되는 경우 방해제거청구권 또는 방해예방청구권을 행사하여 지역권을 보호할 수 있을 것입니다.

오늘은 준용규정에 대해 알아보았습니다. 내일은 지역권의 마지막, 특수지역권에 관하여 공부하도록 하겠습니다.

*참고문헌

김용덕 편집대표, 「주석민법 물권3(제5판)」, 한국사법행정학회, 2019, 227면(홍동기).

사동천, "물권적 청구권", 서울시립대학교 법학연구소, 서울법학25(2), 2017.8., 159면.

지원림, 민법강의, 홍문사, 2013, 451면.

제302조(특수지역권)

어느 지역의 주민이 집합체의 관계로 각자가 타인의 토지에서 초목, 야생물 및 토사의 채취, 방목 기타의 수익을 하는 권리가 있는 경우에는 관습에 의하는 외에 본장의 규정을 준용한다.

오늘은 지역권 파트의 마지막 부분인 특수지역권에 대해 공부하도록 하겠습니다. 이름만 봐도 아시겠지만 뭔가 특수한 지역권을 말하는 것 같습니다. 무엇이 그렇게 '특수'할까요?

특수지역권이란, 한 지역의 주민이 집합체의 관계로서 '남의 땅'에서 초목 같은 것은 채취하는 등 수익을 하는 권리를 의미하는 것입니다. 어쨌거나 남의 땅에서 이익을 얻는 것이기 때문에 지역권이라는 이름이 붙은 것 같기는 합니다(이 명칭이 적절한지에 대해서는 뒤에서 다시 말씀드리겠습니다).

예를 들어 나뭇잎 마을의 주민들은 옛날부터 뒷산인 마약산에서 약초를 캐먹고 살아왔다고 합시다. 그런데 마약산의 소유권자는 나부자인 상태입니다. 나부자는 자기 땅에서 나뭇잎 마을 사람들이 약초를 캔다는 것을 알고 있었지만, 수백 년 전부터 그렇게 해 왔기 때문에 딱히 제지하지 않았습니다.

이러한 경우 나뭇잎 마을 주민이라는 '집합체'는 관습에 의하여 마약산의 약초를 캘 수 있는 수익권을 갖고 있다고 할 수 있는데, 이를 특수지역권이라고 하는 것입니다.

민법 제302조에 따른 특수지역권이라면 위의 사례와 같이 대체로 관습에 따라 결정되는 것으로 생각되지만, 사실 계약에 의해서도 가능하기는 합니다. 차이점이라면, 관습에 의한 특수지역권의 경우 등기를 할 필요가 없겠지만 계약에 따른 특수지역권이라면 등기를 하여야 민법 제186조에 따라 효력이 발생한다는 것이겠지요. 문제는 현재 부동산 등기법 계약에 의한 특수지역권설정등기를 할 수 있는 법적 근거가 없어 실무상으로는 등기가 어렵다고 합니다(홍동기, 2019).

그런데 특수지역권에 대해서는 특수한(?) 논의가 있습니다. 분명히 이름은 특수지역권이긴 한데, 이게 정말 '지역권'이 맞냐 하는 겁니다.

왜냐하면 지금까지 우리가 공부한 지역권의 개념은 요역지가 있고, 승역지가 있고, '땅으로부터 나오는 편익을 땅이 누리는' 구조였습니다. 즉, 편익을 받는 것은 '땅'이지 '사람'이 아니었던 겁니다. 그에 반하여 위 특수지역권의 경우, 편익을 누리는 것은 마을 '사람들'이지 '땅'이 아닙니다. 심지어 저 구조에서는 승역지만 존재하고 요역지는 없는 상태입니다(강승묵, 2004). 과연 이게 지역권이 맞냐, 이런 궁금증이 생깁니다.

'특수지역권'의 성질을 살펴보면, 특정한 땅에 대한 수익권을 여러 사람(지역 주민)이 공동으로 소유하는 것으로서, 민법 제278조에 따른 준공동소유(그 중에서도 준총유)의 형태라고 할 수 있습니다.

또한, 학계의 통설은 특수지역권이 일반적인 지역권과는 달리 '땅'(地)이 아니라 '인간'(人)이 편익을 본다고 하여 인역권(人役權)의 성질을 갖는다고 보고 있습니다(김준호, 2017). '지'라는 글자가 '인'으로 바뀐 거지요. 물론 인역권이라는 제도는 우리 민법상 명시적으로 도입되지 않은 상태인데, 학설은 제302조의 특수지역권이 인역권의 성질을 갖는다고 해석하고 있는 것입니다.

> 제278조(준공동소유) 본절의 규정은 소유권 이외의 재산권에 준용한다. 그러나 다른 법률에 특별한 규정이 있으면 그에 의한다.

그래서 학자들 중에서는 특수지역권이라는 명칭 자체가 그 권리의 특성을 적절히 나타내지 못하고 있다고 보아, 총유적 토지수익권, 입회권, 준총유적 토지수익권 등의 다른 용어로 대체하여야 한다는 의견들도 있습니다(이덕승, 2010). 물론 이러한 단어들은 학자들끼리 오가는 용어인 것이지 민법에 공식적으로 도입된 단어가 아니므로, 사용에는 주의하실 필요가 있습니다.

특히 민법 제302조의 경우, 과거 전근대 시대, 자연경제시대 농촌주민의 생활관계를 규율하던 특수성을 담고 있어서 현대에 이르

러서는 특수지역권적 상황 자체가 거의 없다는 비판을 받고 있습니다. 즉 제302조를 써먹을 일 자체가 거의 없다는 겁니다.

그래서 2013년 민법개정 시도가 있었던 때에는 아예 개정안에서 제302조가 삭제되어 있기도 했었습니다(김영희, 2019).

오늘은 특수지역권에 대해 알아보았습니다. 이것으로 지역권 파트가 끝났습니다. 지역권은 아무래도 현실에서 자주 접하기가 쉽지 않지요.

다음부터는 본격적으로 담보물권에 대해 공부하게 될 것입니다. 전세권이나 저당권의 경우, 지역권보다는 자주 볼 수 있는 형태의 제도여서 좀 더 친숙할 것입니다(전세권은 현실에서 가장 자주 보게 될 전세와는 조금 다른데, 이 부분은 나중에 설명드리겠습니다).

*참고문헌

강승묵, "特殊地役權에 관한 小考", 한양법학회, 한양법학 제16집, 2004.12., 266면.

김영희, "독일 프랑스 일본 민법상 총유와 특수지역권적 권리", 한국법사학회, 법사학연구(59), 2019.4., 273-275면.

김용덕 편집대표, 「주석민법 물권3(제5판)」, 한국사법행정학회, 2019, 227면(홍동기).

김준호, 「민법강의(제23판)」, 법문사, 2017, 753면.

이덕승, "특수지역권의 재고", 한국재산법학회, 재산법연구제27권제2호, 2010, 505-506면.

"다른 사람의 부동산을 사용,
수익하고 싶다면
어떻게 하면 될까요?
다음 장부터 알아봅니다."

Part 6.

제6장, 전세권

제303조(전세권의 내용)

①전세권자는 전세금을 지급하고 타인의 부동산을 점유하여 그 부동산의 용도에 좇아 사용·수익하며, 그 부동산 전부에 대하여 후순위 권리자 기타 채권자보다 전세금의 우선변제를 받을 권리가 있다.
②농경지는 전세권의 목적으로 하지 못한다.

오늘부터 드디어 전세권에 대해 공부합니다. 지상권, 지역권의 경우 사실 소유권과 달리 일상생활에서 자주 접하게 되는 물권이 아니다 보니, 상대적으로 공부하시면서 지루한 부분이 있었을 겁니다. 그래서 전세권을 보고, "와, 드디어 익숙한 것이 나왔다. 나도 전세 사는데." 이렇게 생각하실 수도 있을 겁니다. 그런데 그 전세가 이 전세권이 아닐 수도 있습니다. 지금부터 하나씩 알아보도록 하겠습니다.

먼저, 일반적으로 사람들이 생각하는 '전세'와 여기서 말하는 '전세권'은 서로 다른 개념입니다. 우선 우리가 공부할 물권으로서의 전세권에 대해 먼저 설명을 드릴게요.

제303조제1항에 따르면 전세권이란, 전세금을 지급하고 다른 사람의 부동산을 점유하고, 그 부동산의 용도에 따라서 사용·수익한 후 전세권이 소멸하게 되면 부동산을 (주인에게) 되돌려주면서 전세금을 돌려받는 권리를 말합니다.

우리는 전에 공부하기를, 물건의 사용가치를 지배하는 제한물권을 용익물권이라 한다고 했던 적 있습니다. 쉽게 말씀드리자면 내 소유가 아닌 남의 부동산을 사용하고 싶을 때, 용익물권을 (계약을 통해서든, 어떻게든) 취득하게 되면 되는 것입니다. 전세권이 바로 이러한 용익물권의 예이며, 우리가 공부한 것 중에는 지상권과 지역권이 바로 용익물권에 해당합니다.

"남의 소유 땅을 사용하고 싶다! 어떤 용익물권이 필요할까?"

① 남의 땅에서 건물 기타의 공작물이나 수목을 소유하기 위하여 그 토지를 사용하고 싶다 → 지상권을 취득하면 됨
② 남의 땅에서 나오는 이익을 이용해서 내 땅을 이롭게 하고 싶다 → 지역권을 취득하면 됨
③ 남의 땅이나 건물을 사용하고 싶다 → 전세권을 취득하면 됨

이런 식이 되는 것입니다. 그러면 이제 궁금한 부분이 생깁니다.

"제 친구 철수는 지금 남의 집에서 거주하고 있고요, 집주인한테 전세금도 줬습니다. 2년 계약했고요. 계약 끝나면 전세금은 돌려받을 겁니다. 위에서 말하는 전세권의 개념과 같지 않나요?"

이게 헷갈리는 부분인데 같지 않습니다. 엄밀하게, 여기서 철수가 가진 권리는 전세권이 아니라 임차권에 해당합니다. 왜냐하면 우리가 오늘부터 공부할 전세권은 채권이 아니라 물권이고, 물권은 민법

제186조에 따라 득실변경의 등기를 해야 효력이 생깁니다.

그런데 소위 '전세 산다'고 말씀하시는 분들 중에 그 전세 내용을 부동산 등기까지 한 경우는 거의 없을 겁니다. 사실 그렇게까지 해주는 집주인도 별로 없고요(자기 소유 집에 등기가 추가되는 것 자체를 꺼리는 경우가 많습니다).

따라서 철수는 지금 전세권자로서 그 집에 살고 있는 것이 아니라 집주인과의 계약에 따른 임차권자로서 그 집에 살고 있는 것입니다. 아마 철수가 부동산 중개사 통해서 계약을 했다면, 계약서에는 '주택임대차계약서'라고 되어 있을 것입니다. '물권설정계약서'가 아니라요.

*임차권 등기라고 해서 임차권도 등기하는 경우가 있는데, 설령 이런 경우라고 해도 어차피 물권으로서의 전세권 등기가 아니기 때문에 전세권에 해당하지 않는다는 결론은 같습니다.

이와 같이 일상에서는 소위 '전세'라고 불리지만, 그 실상은 물권으로서의 전세권이 아닌 이러한 형태를 채권적 전세라고 부르기도 합니다. 이런 채권적 전세의 경우 오늘부터 공부할 물권편의 전세권 관련 규정이 아니라 「주택임대차보호법」이나 민법상의 임대차 관련 규정 등이 적용됩니다. 주의하시기 바랍니다.

"그러면 도대체 지금 말하는 전세권과 채권적 전세는 무슨 차이가 있는 건가요?"

사실 대충 보기에는 물권이냐 채권이냐 차이 정도 말고는 (당사자 입장에서는) 얼추 비슷하긴 합니다. 목돈(흔히 전세금이라 불리는 돈)을 땅 또는 건물 소유자에게 주는 것, 전세권이 소멸하거나 계약 기간이 끝나면 부동산을 주인에게 돌려주어야 한다는 것 등 비슷한 측면이 있습니다. 차이점은 아무래도 물권과 채권이라는 큼지막한 차이에서 발생하는 경우가 많은데요, 이 부분은 차차 전세권을 공부하면서 말씀드리도록 하겠습니다. 어쨌건 지금은 두 가지 제도가 서로 아예 다른 제도라는 것만 이해하고 넘어가시면 되겠습니다.

그리하여 대략적인 (물권으로서) 전세권의 특징을 정리하면 아래와 같습니다.

1. 전세권은 용익물권입니다. 다만, 담보물권으로서의 특징도 가지고 있다고 보입니다.

용익물권의 특성을 가지는 부분에 대해서는 이미 말씀드렸습니다. 담보물권으로서의 특징에 대해서는 추후에 다시 언급하도록 하겠습니다.

2. 전세권자는 전세권설정자에게 전세금을 지급하여야 합니다.

전세금의 지급은 전세권의 성립요소입니다. 따라서 무상으로 전세권을 설정하는 것은 상상하기 어렵습니다.

우리의 판례 역시 "전세권은 전세금을 지급하고 타인의 부동산을 그 용도에 따라 사용·수익하는 권리로서 전세금의 지급이 없으면 전세권은 성립하지 아니하는 등으로 전세금은 전세권과 분리될 수 없는 요소일 뿐 아니라, 전세권에 있어서는 그 설정행위에서 금지하지 아니하는 한 전세권자는 전세권 자체를 처분하여 전세금으로 지출한 자본을 회수할 수 있도록 되어 있으므로 전세권이 존속하는 동안은 전세권을 존속시키기로 하면서 전세금반환채권만을 전세권과 분리하여 확정적으로 양도하는 것은 허용되지 않는 것이며, 다만 전세권 존속 중에는 장래에 그 전세권이 소멸하는 경우에 전세금 반환채권이 발생하는 것을 조건으로 그 장래의 조건부 채권을 양도할 수 있을 뿐이라 할 것이다."라고 하여 같은 입장입니다(대법원 2002. 8. 23. 선고 2001다69122 판결).

*다만, '전세금은 전세권의 요소'라는 표현이 부적절하다는 지적도 있습니다. 이는 전세금이 지급되어야 전세권이 유효하게 성립한다는 의미인데, 전세금을 지급하기로 하는 약정과 전세권등기만으로도 전세권은 유효하게 성립할 수 있으므로 이러한 표현은 맞지 않는다는 것입니다. 전세금이 현실적으로 지급되어야 전세권이 성립하는 것이 아니라, 전세금을 지급하기로 하는 약정으로도 충분하다는 것이지요(양창수·김형석, 2023).

한편, 이러한 전세금은 등기하여야 합니다(「부동산등기법」 제72조).

부동산등기법

제72조(전세권 등의 등기사항) ① 등기관이 전세권설정이나 전전세(轉傳貰)의 등기를 할 때에는 제48조에서 규정한 사항 외에 다음 각 호의 사항을 기록하여야 한다. 다만, 제3호부터 제5호까지는 등기원인에 그 약정이 있는 경우에만 기록한다.

1. 전세금 또는 전전세금
2. 범위
3. 존속기간
4. 위약금 또는 배상금
5. 「민법」 제306조 단서의 약정
6. 전세권설정이나 전전세의 범위가 부동산의 일부인 경우에는 그 부분을 표시한 도면의 번호

② 여러 개의 부동산에 관한 권리를 목적으로 하는 전세권설정의 등기를 하는 경우에는 제78조를 준용한다.

3. 전세권은 다른 사람의 부동산을 점유하여 사용·수익할 수 있는 권리입니다.

제303조제1항에 명확히 나와 있는 내용이기도 합니다. 어쨌건 이 내용을 통해 알 수 있는 것은, 전세권에는 점유가 수반되기 때문에 전세권자는 혹시 점유가 침탈되거나 방해를 받는 경우 점유물반환청구권이나 방해제거청구권 같은 권리를 행사할 수 있게 됩니다(제204조부터 제206조까지 부분을 복습하고 오셔도 좋습니다).

4. 전세권을 설정할 때에는 등기를 하여야 효력이 발생합니다.

위에서 말씀드렸으므로, 생략하겠습니다. 만약 등기를 하지 않는다면 제3자에게 전세권을 주장하면서 대항할 수 없게 됩니다. 물권으로서 효력이 발생하지 않았으니까요. 다만, 전세권설정계약에 따라 발생하는 채권의 효력은 다른 문제입니다.

5. 전세권자는 전세금의 우선변제를 받을 수 있습니다.

이 부분이 바로 제303조제1항 뒷부분인데요, 바로 이어서 말씀드리도록 하겠습니다.

제303조제1항 뒷부분을 보면 좀 특이한 표현이 있습니다. "부동산 전부에 대하여 후순위권리자 기타 채권자보다 전세금의 우선변제를 받을 권리가 있다"라는 부분인데요, 이건 무슨 말일까요?

예를 들어 보겠습니다. 철수는 작업장으로 쓸 만한 공간이 필요해서 여기저기 알아보다가, 영희의 건물이 괜찮다고 생각해서 영희와 전세권설정계약을 하기로 했습니다(보통 현실에서는 임대차계약을 할 건데, 드물게 영희가 전세권설정하는 것에 동의하기로 했다고 가정합시다). 전세권의 기간은 3년으로 하기로 했고, 그 대신 철수는 영희에게 3억원의 전세금을 지급하였습니다. 이제 영희는 철수에게 받은 3억원으로 돈놀이를 하든, 은행에 넣어서 이자를 받든 수익을 내면 됩니다.

그런데, 영희는 철수가 주는 전세금도 받았겠다, 사업을 한번 크게 해 보고 싶어서 은행에서 자신의 건물을 담보로 2억원의 대출을 추가로 받았습니다. 근저당을 설정한 것인데, 근저당의 의미에 대해서는 여기서 크게 신경 쓰지 마시고, 그냥 영희가 건물을 담보로 대출을 받았다는 정도로만 하고 넘어가겠습니다.

영희가 사업을 잘했으면 좋았을 텐데, 무리한 사업 확장으로 그만 망하고 말았습니다. 망했으니까 은행에 약속한 날짜까지 돈을 못 갚았지요. 그리고 은행에서는 영희가 돈을 갚지 않자, 영희 소유의 건물을 경매에 넘겨 버리고 말았습니다(임의경매).

예전에 경매의 개념에 대해서 간단하게 공부한 적이 있었습니다. 민법 제187조 파트입니다. 복습하고 오셔도 좋습니다. 어쨌거나 여기서 은행은 영희에게 빌려준 2억원을 기한이 되었는데도 받지 못하였기 때문에, 영희의 건물을 처분해서라도 자신의 돈을 보전하려고 한다는 사실을 이해하시면 되겠습니다.

"내가 쓰고 있는 이 건물이 경매로 넘어간다고?"

철수는 소식을 듣자마자 가슴이 철렁합니다. 사실 임대차도 그렇고 남의 부동산 쓰고 있는 사람 입장에서 이보다 더 긴장되는 소식은 드물 것입니다. 철수는 당장 자신의 전세금은 어떻게 되나 심히

걱정이 됩니다. 인터넷에 검색해 보니 뭐가 잘못되고 해서 전세금을 못 받고 쫓겨난 사람들의 이야기도 있는 것 같습니다.

이런 경우에 철수는 민법 제303조제1항을 꼼꼼히 읽어볼 필요가 있습니다. 철수의 경우 은행보다 먼저 전세권을 등기하였고, 따라서 시간상 나중에 근저당권을 등기한 은행의 경우 철수보다 순위가 밀립니다.

즉, 은행은 제303조제1항에서 말하는 후순위권리자인 것입니다. 제1항에서는 후순위권리자나 다른 채권자보다 우선변제를 받을 수 있다고 하고 있습니다.

변제(辨濟)란 아주 간단하게 말씀드리면 돈을 갚는다는 겁니다. 우선변제란, 단어 그대로 직역하면 '먼저 돈을 갚는다'라는 것으로, 우선변제를 받을 수 있다는 것은 돈을 먼저 받을 수 있다는 것으로 대략 이해할 수 있습니다. 이와 같은 권리를 우선변제권이라고 합니다.

즉, 철수는 후순위 권리자인 은행(2억원)보다 먼저 자신의 돈(3억원)을 건물의 매각대금에서 받을 수 있는 것입니다. 건물이 4억원에 팔렸다고 하면(집행비용 등 기타 비용은 없는 것으로 전제하겠습니다), 철수는 그 중 3억원을 먼저 받아갈 수 있는 겁니다. 은행은 아쉽지만 남는 1억원으로 만족하게 됩니다.

은행의 입장에서 너무 아쉽지 않느냐, 라고 생각하실 수 있는데 어쩔 수 없습니다. 영희의 건물이 충분히 시장가치가 있어서 비싸게 팔리고, 그에 따라 철수도 은행도 모두 자신의 돈을 받아갈 수 있으면 좋겠지만 부동산 가격을 마음대로 결정할 수 있는 것은 아니니까요.

따라서 사실 현실에서는 은행 입장에서 영희의 건물처럼 선순위 전세권이 설정되어 있는 경우에는 애초에 대출을 해줄 가능성 자체가 많이 낮기는 합니다. 은행도 바보가 아니니까요.

철수는 어쨌든 다행히 경매의 난장판 속에서 자신의 3억원을 건질 수 있었습니다. 이처럼, 큰돈을 맡긴 전세권자 입장에서는 우선변제권이 얼마나 소중한 것인지 알 수 있습니다. 내 돈 날리지 않게 해주는 보호장치인 셈입니다.

마지막으로 제303조제2항을 보겠습니다. 여기서는 농경지는 전세권의 목적으로 할 수 없다고 합니다. 농경지에는 전세권을 설정할 수 없다는 것입니다. 왜 이런 조항을 두고 있을까요?

그건 우리나라의 법제가 농경지, 즉 농사짓는 땅을 특별하게 다루고 있기 때문입니다.

대한민국 헌법 제121조는 경자유전(耕者有田)의 원칙, 즉 농사를 짓는 사람이 농지를 가져야 한다는 원칙을 천명하고 있습니다. 아무래도 인류 역사에서 농업의 중요성이 국가적으로 의미 있게 다루어져 왔다 보니, 세계 각국의 법제에 경자유전의 원칙은 어느 정도 반영되어 있는 것이 사실입니다만, 이처럼 헌법에 명문으로 경자유전을 기재한 사례는 거의 드물다고 합니다. 이와 같이 헌법을 제정한 취지는, 남북 대치 상황 등 정치, 경제, 사회적 상황을 고려하여 식량자급기반 확보를 위한 안정적 농지 확보, 농업의 보호가 중요한 정책과제로 인식되는 상황 하에서 경자유전 원칙이 중요한 원칙이자 정책수단으로 이해되었던 것에 있다고 합니다(김홍상, 2006). 한편, 헌법 외에도 「농지법」이 따로 있어 농사짓는 땅의 경우에는 특별한 법적 규율을 두고 있습니다.

> 대한민국헌법
> 제121조 ①국가는 농지에 관하여 경자유전의 원칙이 달성될 수 있도록 노력하여야 하며, 농지의 소작제도는 금지된다.
> ②농업생산성의 제고와 농지의 합리적인 이용을 위하거나 불가피한 사정으로 발생하는 농지의 임대차와 위탁경영은 법률이 정하는 바에 의하여 인정된다.

어찌 되었건 민법 제303조제2항에서 명시하고 있기 때문에, 농사짓는 땅은 함부로 전세권을 주어 남에게 농사를 짓게 시킬 수 없습니다. 다만, 헌법 제121조는 폐지해야 한다는 논의가 제기되었던 바 있고, 민법 제303조제2항의 경우에도, 농지의 전세를 금지할 특별한 이유가 없다는 점, 「농지법」상 농지의 임대차가 가능하기 때문에 전세권 역시 어느 정도 범위에서 가능하다고 보아야 한다는 점 등을 근거로 폐지해야 한다는 의견이 제기되었던 바 있습니다(강태성, 2018). 이 부분은 참고로만 알아 두시기 바랍니다.

오늘은 전세권을 처음 공부하였습니다. 아무래도 첫날이다 보니까 기본적인 개념을 언급할 필요가 있어 이야기가 좀 길어진 측면이 있는 것 같습니다. 그래도 중요한 내용이 많으니 꼼꼼히 읽어 보시길 바랍니다. 내일은 전세권과 지상권, 임차권 등의 관계에 대해 알아보겠습니다.

*참고문헌

김홍상, "경자유전 원칙에 관한 소고-헌법과 법률 내용을 중심으로-", 한국농촌경제연구원, 농촌경제 제29권제2호, 2006.10., 146면.

강태성, "전세권에 관한 민법규정들의 검토 및 개정방향-민법 제303조. 제306조. 제308조를 중심으로-", 한국재산법학회, 재산법연구 제35권제1호, 2018.5., 110-111면.

양창수·김형석, 「권리의 보전과 담보(제5판)」, 박영사, 2023, 754면.

[심화학습] 전세권의 본질

본문에서 다루지는 않았지만, 전세권의 법적 성질에 대해서는 오랜 기간 학계에서의 논쟁이 있었습니다. 왜냐? 전세권이라는 물권은 우리나라의 역사적인 상황과 거래 관습이 반영된 독특한 제도이기 때문입니다. 민법상의 전세권 제도는 외국의 입법례를 그대로 따온 것이 아니라, 외국 입법례에서 찾아보기 힘든 우리나라 특유의 제도라는 것입니다(곽윤직, 1992). 그렇기에 과연 이 '특수한' 전세권의 본질은 무엇인지를 놓고 많은 논란이 있었던 것입니다.

전세권이라는 것은 본질적으로 남의 부동산을 사용하고 수익하며, 대신 전세금을 내어 주고 나중에 계약 기간이 끝나게 되면 전세금을 돌려받는 구조로 되어 있습니다. 바로 이 지점에서 의문이 제기됩니다.

"전세권은 그렇다면 용익물권인가, 담보물권인가?"

용익물권은 물건의 사용하고 수익을 낼 수 있는 물권이고, 담보물권은 목적물의 교환가치를 지배하는 물권이라고들 합니다. 지상권은 대표적인 용익물권이요, 저당권은 대표적인 담보물권인 것입니다.

그런데, 전세권은 뭔가 애매합니다. 남의 부동산을 사용하고 수익하는 권리이니까 용익물권은 맞는 것 같은데, 우리 민법 제303조제1항은 전세권자는 그 부동산 전부에 대해서 후순위권리자나 다른 채권자보다 전세금을 우선변제받을 수 있다고 정하고 있기 때문입니다.

예를 들어 철수가 나부자의 건물(전세목적물)을 쓰기 위해 전세권을 받았다고 해봅시다(전세권설정계약). 철수는 전세권자가 되고, 나부자는 전세권 설정자가 되며, 철수는 그 대가로 나부자에게 2억원(전세금)을 지급하였습니다. 계약기간은 5년이었습니다. 전세권도 당연히 물권이니까, 그 내용을 등기하여야 합니다(전세권설정등기).

5년이 경과하고 나면, 철수는 더 이상 나부자의 건물을 사용할 수 없게 됩니다. 계약 기간이 끝났으니까요. 이제 철수는 본인이 전세금으로 나부자에게 넘겼던 2억원을 돌려달라고 청구할 수 있습니다. 나부자가 지난 5년간 2억원을 굴려서 투자를 했던, 은행에서 이자를 받았던 철수는 알 바 아닙니다. 어쨌거나 철수는 2억원을 돌려달라고 요구할 수 있는 겁니다(전세금반환채권).

*이러한 전세금반환채권은 전세권이 존속하는 동안에는 발생하지 않습니다. 왜냐, 전세 기간이 끝나야 전세금을 반환해줄 것을 청구할 수 있기 때문입니다. 따라서 전세권이 존속하는 동안에 전세권자는 '장래의 전세금반환채권'을 가지며, 전세기간이 끝나 전세권의 용익물권적 권능이 소멸하면 비로소 전세금반환채권이 발생하게 됩니다(양창수·김형석, 2023)

대신, 철수도 해야 할 일이 있습니다. 철수는 사용하고 수익하던 나부자의 건물에서 방을 빼고 나부자에게 건물을 돌려주어야 합니다. 그리고 전세권등기도 없애야 하겠죠? 철수는 전세권설정등기의 말소에 필요한 서류도 넘겨주어야 합니다.

서로 의무를 다하면 좋겠지만, 여기서 나부자가 2억원을 안 돌려주고 버틴다고 해봅시다. 철수는 아주 화가 날 것입니다. 바로 이 때, 철수는 전세목적물은 나부자의 건물을 경매에 넘겨 버릴 수 있습니다(제318조). 그리고 나부자의 건물이 경매에서 3억원에 팔리게 되면, 철수는 (나부자의) 다른 채권자들보다 우선해서 그 중 2억원을 자기 몫으로 받아낼 수 있는 것입니다. 이것이 바로 철수가 전세권자로서 갖는 우선변제권입니다. 만약 철수(전세권자)에게 우선변제권이 없다면, 건물이 팔린 값 3억원을 저당권자나 나부자의 다른 채권자(철수 외에도 나부자에게 돈을 빌려줬던 사람들)에게 뺏길 수(?)도 있습니다. 그러면 철수는 2억원을 전부 회수하지 못할 수도 있는 거죠. 우선변제권이 이렇게 중요합니다.

문제는 이러한 우선변제권은 다른 용익물권(지상권, 지역권 등)에서는 찾아보기 힘든 특징이라는 것입니다. 바로 이러한 특성에 주목하여, 전세권은 담보물권(부동산질권)으로서의 성질을 갖고 있다는 학자들의 주장이 제시되었습니다.

이에 대해서는 다양한 견해의 대립이 아직도 있습니다만, 여기서 그것을 모두 소개하기는 어렵고, 대체로 전세권은 용익물권으로서의 성질과 담보물권적인 성질을 모두 갖고 있는 것으로 해석한다는 정도로 이해하시면 되겠습니다.

*물론, 용익물권으로서의 성질과 담보물권으로서의 성질 중 어느 것이 더 주된 것이냐, 양자는 동격인 것이냐를 놓고서도 학설의 대립이 있습니다만, 이는 참고문헌을 참조하여 주시기 바랍니다(조용현, 2019).

전세권의 본질이 무엇인지는 나중에 전세권 관련 조문을 해석하거나, 전세권의 다른 성질(부종성, 수반성, 물상대위성 등)을 파악하는 것에도 영향을 미치게 되므로, 무슨 의미가 있냐고 간과하기에는 중요도가 높습니다.

일단은 전세권이 다른 용익물권과 달리 독특한 학계의 논의가 있었다는 것을 기억해 두시고요, 이 부분은 추후 다른 조문에서 다시 한번 언급하도록 하겠습니다.

*참고문헌

곽윤직, 「물권법(신정판)」, 박영사, 1992, 453-454면.

김용덕 편집대표, 「주석민법 물권3(제5판)」, 한국사법행정학회, 2019, 259-261면(조용현).

양창수·김형석, 「권리의 보전과 담보(제5판)」, 박영사, 2023, 752면.

제304조(건물의 전세권, 지상권, 임차권에 대한 효력)

①타인의 토지에 있는 건물에 전세권을 설정한 때에는 전세권의 효력은 그 건물의 소유를 목적으로 한 지상권 또는 임차권에 미친다.
②전항의 경우에 전세권설정자는 전세권자의 동의없이 지상권 또는 임차권을 소멸하게 하는 행위를 하지 못한다.

제304조제1항을 보겠습니다. 예를 들어 보겠습니다. 여기 작은 땅이 하나 있고, 땅의 소유자는 철수입니다. 그리고 그 땅 위에 건물이 있는데요, 건물의 소유자는 영희입니다. 즉, 제304조는 땅, 그리고 땅 위에 있는 건물의 소유자가 각각 다른 사람인 경우를 상정하고 있는 겁니다.

영희는 어쨌거나 남의 땅 위에 건물을 지어 갖고 있는 것이기 때문에, 철수의 땅을 이용할 수 있는 권리가 있어야 합니다. 그것은 제1항에서 말하는 것처럼 지상권이 될 수도 있고, 임차권이 될 수도 있습니다. 여기서는 영희가 철수의 땅에 대한 지상권자라고 가정합시다. 영희는 철수의 땅 위에 건물의 소유를 위한 지상권을 갖고 있는 겁니다.

그런데, 영희는 자신의 건물을 놀리기가 아까워 나부자에게 10억 원을 받고 전세권을 설정해 주기로 했습니다(영희=땅에 대한 지상권자, 건물에 대한 전세권 설정자). 그래서 전세권설정계약을 맺고, 나부자는 영희에게 10억원의 전세금을 지급하였습니다. 계약한 다음날, 나부자가 짐을 싸들고 건물에 들어가려는데 웬걸, 철수(땅 소유자)가 길을 가로막습니다.

"당신은 누구요? 나는 영희에게 지상권을 허락해 준 적은 있지만, 나부자 당신에게 지상권을 설정해 준 적은 없어."

철수(땅 주인)는 이렇게 말하며 나부자에게 나가라고 합니다. 나부자(건물전세권자)는 영희와 체결한 계약서를 보여주지만, 철수는 그건 내가 한 계약이 아니니 자신이 알 바 아니라고 합니다. 얼핏 보면 맞는 말인 것 같습니다. 나부자가 계약한 사람은 영희(건물 주인)이지, 철수(땅 주인)는 아니니까요.

이런 경우, 나부자는 땅 주인인 철수의 허락을 받아야만 건물을 사용할 수 있는 걸까요? 그러면 건물을 빌려 쓰려는 사람(전세권을 따려는 사람)은 항상 건물 주인뿐 아니라 땅 주인과도 계약을 각각 체결해야 하는 걸까요?

그렇게 보면 너무 번거롭고 과하지요. 제1항은 이러한 나부자를 도와주기 위해 있는 조문입니다. 우리의 다수설은 제1항의 의미를 다음과 같이 해석합니다: 건물의 소유자가 이미 그 땅을 사용할 수 있는 적법한 권리(지상권 또는 임차권)을 가지고 있는 경우, 그 건물 소유자와 계약을 한 전세권자는 건물 소유자와 마찬가지로 그 토지를 이용할 수 있다는 것입니다(지원림, 2013). 따라서, 나부자는 제304조제1항을 근거로 철수의 땅을 적법하게 이용할 수 있게 됩니다.

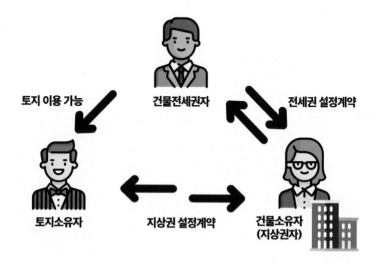

다만, 제1항은 어디까지나 건물 소유자가 적법하게 권리를 갖고 있다는 전제 하에 전세권자를 보호하는 규정이므로, 건물 소유자인 영희가 처음부터 남의 땅을 불법 점거하여 건물을 지은 것이라면 당연히 나부자도 보호받을 수 없다는 점은 주의하시기 바랍니다.

참고로, 대법원은 "민법 제304조는 전세권을 설정하는 건물소유자가 건물의 존립에 필요한 지상권 또는 임차권과 같은 토지사용권을 가지고 있는 경우에 관한 것으로서, 그 경우에 건물전세권자로 하여금 토지소유자에 대하여 건물소유자, 즉 전세권설정자의 그러한 토지사용권을 원용할 수 있도록 함으로써 토지소유자 기타 토지에 대하여 권리를 가지는 사람에 대한 관계에서 건물전세권자를 보다 안전한 지위에 놓으려는 취지의 규정"(대법원 2010. 8. 19. 선고 2010다43801 판결)이라고 설명하고 있으니, 제304조의 이해를 이해 한번 읽어 보시기 바랍니다.

*다만, 제1항에서 말하는 "지상권 또는 임차권에 미친다"의 구체적인 의미에 대해서는 학설의 견해가 갈립니다. 건물전세권자가 지상권 등에 대해서도 전세권을 취득한다고 보는 견해도 있고, 지상권 등과 같이 토지를 사용·수익할 수 있다는 의미라는 견해도 있는데(박동진, 2022), 상세한 내용은 참고문헌을 참조하여 주시기 바랍니다.

이제 제2항을 보겠습니다. 제1항에서 전세권자를 보호하는 취지는 알겠는데, 사실 이것만으로는 좀 부족할 수도 있습니다. 왜 그럴까요?

위의 사례를 이용해서 한번 더 생각해 봅시다. 나부자는 자기 땅에서 나가라며 억지를 부리는 철수에게 민법 제304조제1항을 보여주고 당당하게 건물에 입성했습니다.

그런데, 그로부터 한 달 뒤 건물 주인인 영희는 나부자와 개인적인 일로 다투었고, 이에 앙심을 품은 영희는 자신의 지상권을 포기해 버리기로 합니다(실제로는 이렇게 과격한 선택을 하는 경우는 매우 드물긴 하겠지만, 이해를 돕기 위하여 예를 드는 것입니다).

그러면 영희의 지상권이 없어지게 됨으로써 나부자는 제1항에 따른 토지 이용을 더 이상 할 수 없게 되니까, 이제는 나부자를 영 마음에 안 들어하던 철수가 나부자를 쫓아내 버릴 수 있게 됩니다.

제304조제2항은 이와 같이 전세권설정자(영희)가 전세권자(나부자)의 동의 없이 마음대로 지상권 또는 임차권을 소멸시켜 버림으로써 전세권자에게 불의의 피해를 주는 것을 금지하고 있습니다.

다만, 그렇다고 해서 모든 사안에서 건물전세권자(나부자)가 보호를 받는 것은 아닙니다. 예를 들어 영희(지상권자)가 철수(땅 주인)에게 약속했던 땅세를 2년 이상 주지 않았다고 해봅시다.

그러면 땅 주인은 제287조에 따라 지상권이 소멸했다고 주장할 수 있을 겁니다. 이런 경우는 제304조제2항에 걸리지 않습니다. 즉, 철수(땅 주인)은 땅세를 못 받았다는 것을 이유로 지상권의 소멸을 (영희에게) 주장하면서, 덩달아 나부자(건물전세권자)에게도 지상권이 소멸했다는 것을 유효하게 주장할 수 있습니다. 판례도 같은 입장입니다(대법원 2010. 8. 19. 선고 2010다43801 판결).

오늘은 땅과 건물의 소유자가 서로 다른 경우 우리 민법이 어떻게 전세권자를 보호하고 있는지 알아보았습니다. 내일은 전세권과 법정지상권에 대해 공부하도록 하겠습니다.

*참고문헌.

지원림, 민법강의, 홍문사, 제11판, 2013, 701면.

박동진, 「물권법강의(제2판)」, 법문사, 2022, 356-357면.

제305조(건물의 전세권과 법정지상권)

①대지와 건물이 동일한 소유자에 속한 경우에 건물에 전세권을 설정한 때에는 그 대지소유권의 특별승계인은 전세권설정자에 대하여 지상권을 설정한 것으로 본다. 그러나 지료는 당사자의 청구에 의하여 법원이 이를 정한다.

②전항의 경우에 대지소유자는 타인에게 그 대지를 임대하거나 이를 목적으로 한 지상권 또는 전세권을 설정하지 못한다.

오늘은 전세권과 법정지상권에 대해 알아보겠습니다. 그런데 법정지상권이라는 표현은, 무언가 지상권인 것 같긴 한데 우리가 상세히 공부하였던 적이 없습니다. 사실 대부분의 민법 교과서에서는 지상권 파트에서 법정지상권을 별도의 목차로 구성하여 공부하고 넘어갑니다만, 저희는 민법의 조문 구성을 따라 하나씩 살펴보는 방식을 취하고 있기 때문에 지금 시점에 접하게 된 것입니다.

*우리는 전에 지상권 파트를 공부하면서 법정지상권에 대해서는 대충 (?) 언급만 하고 지나갔던 바 있습니다.

그러면 먼저 법정지상권이라는 것에 대해 살펴보고 지나가야 할 것 같습니다. 상당히 긴 이야기가 될 수 있습니다. 우리가 예전에 지상권을 공부할 때, 대체로 법률행위(지상권설정계약이나 이미 설정된 지상권의 양도, 유언 등)에 의해 취득된 지상권을 예시로 들어 설명하였습니다. 그런데 지상권 역시 일종의 물권이기 때문에, 상속,

공용징수, 판결, 경매, 그 밖에 법률의 규정에 의해서 취득할 수 있습니다(민법 제187조). 이러한 지상권 취득은 법률행위에 의한 것이 아니라, 법률의 규정에 의한 것입니다. 여기까지는 다른 물권들과 크게 다르지 않습니다.

> 제187조(등기를 요하지 아니하는 부동산물권취득) 상속, 공용징수, 판결, 경매 기타 법률의 규정에 의한 부동산에 관한 물권의 취득은 등기를 요하지 아니한다. 그러나 등기를 하지 아니하면 이를 처분하지 못한다.

그런데, 지상권의 경우 상속이나 공용징수 등 방금 말씀드린 법률의 규정에 의한 취득 위에도 조금 독특한 취득방법이 있는데, 법률행위를 통해서 얻지 않는 독특한 지상권이라는 의미에서 이를 법정지상권(법률이 정하는 지상권)이라고 부릅니다.

이와 같은 법정지상권은 굳이 왜 필요한 걸까요? 엄격하게 따지자면, 지상권은 당사자 간의 계약으로 발생시키면 되므로 법률로 지상권을 강제로 발생시킬 필요는 없다고 생각할 수도 있습니다. 그것이 사적자치의 원칙에 더 부합한다고 주장할 수도 있고요.

그런데 지상권이 오로지 법률행위에 의해서만 발생한다고 해버리면, 현실에서 오히려 불필요하게 건물이 철거되는 등의 문제가 발생할 수도 있습니다. 왜냐, 우리나라의 경우 땅과 그 위의 건물을 각각 별개의 부동산으로 보고 있기 때문입니다.

이게 무슨 말이냐 하면, 우리나라의 법제상 토지와 건물의 소유자가 각각 다른 사람이 될 수 있는 가능성은 언제나 있습니다. 그러다 보니 사안에 따라 건물의 소유자가 예상치 못하게 지상권을 설정할 기회조차 주어지지 않는 경우도 있는 것입니다. 이와 같은 경우에 지상권이 없는 건물은 모두 다 철거해 버리는 것이 현실적으로 꼭 바람직한 것은 아니겠지요. 법정지상권 제도는 바로 이러한 고민에서 시작됩니다.

학계에서는, 법정지상권이란 건물소유자가 미리 지상권을 설정할 수 없는 경우, 그 잠재적인 토지이용권을 법률상 현실화시켜 주는 것이라고 합니다. 즉, 건물을 독립된 부동산으로 취급하는 우리 민법의 특성에서 나타날 수 있는 결함을 시정하기 위한 제도라고 설명합니다(조용현, 2019).

이런 고민 끝에, 법정지상권은 그 취득에 관하여 법률에 명시적으로 규정되어 있습니다. 우리의 법제에 도입된 법정지상권은 총 4가지입니다. 그리고 그중 하나가 바로 오늘 공부할 민법 제305조이고요. 다만, 저희는 여기에 1개를 더 추가하여 총 5개를 알아보려고 합니다. 바로 법률에는 규정이 없지만 관습상 인정되는 법정지상권이 그것입니다.

그럼 지금부터 5가지 법정지상권에 대하여 하나씩 살펴보도록 합시다.

1. 민법 제305조제1항에 따른 법정지상권: 건물 전세권자의 보호

오늘 공부할 제305조제1항을 읽어봅시다. 이에 따르면, 땅과 건물의 소유자가 동일하였던 경우, 건물에 전세권을 설정한 때에는 그 대지소유권의 특별승계인은 전세권설정자에 대하여 지상권을 설정한 것으로 본다고 되어 있습니다. 제305조는 제304조와 마찬가지로 건물소유자가 자기 소유의 건물에 전세권을 설정한 경우에 적용됩니다.

도대체 무슨 말인지 모르겠으니 예를 들어 보겠습니다. 철수는 땅의 소유자이고, 자신의 땅 위에 건물을 하나 지어서 사용하고 있습니다. 즉, 땅과 (그 땅 위에 있는) 건물 둘 다 소유한 것이죠. 부럽습니다. (1단계: 땅 소유자=건물 소유자=철수)

그런데 철수는 나이도 먹고 건물 관리하기도 힘들고 해서, 마침 사업을 좀 해보려고 하던 이웃집 영희와 전세권 설정계약을 맺고, 건물을 사용하도록 해주었습니다(전세권 등기도 했습니다). 대신 전세금을 받아 주식 투자를 좀 했습니다. (2단계: 땅 소유자=건물 소유자=건물전세권설정자=철수, 건물전세권자=영희)

그런데 철수가 주식 투자한 것이 매우 망하여, 철수는 빚을 잔뜩 지게 되었습니다. 결국 철수는 돈이 없어 자신이 소유한 땅만(건물 말고) 나부자에게 팔기로 합니다. 이렇게 땅 주인이 철수에게서 나부자로 바뀌어 버리면, 이제는 땅 주인은 나부자인데 건물 주인은 철수인 상황이 됩니다(영희는 건물을 사용만 하는 전세권자). 바로 아래와 같은 그림이 되는 것이지요. (3단계: 땅 소유자≠건물소유자=건물전세권설정자=철수, 땅 소유자=나부자, 건물전세권자=영희)

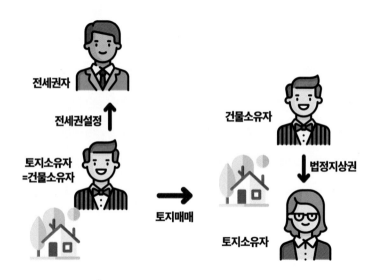

땅과 건물을 모두 소유하고 있던 사람이 건물에 전세권을 설정해 준 후, 자신의 땅만을 다른 사람에게 매도한 상황이라는 점을 이해하시기 바랍니다.

만약 이런 상황이 되어 버린다면, 지금부터 다음과 같은 문제가 발생할 수 있게 됩니다. 편의상 대화체를 만들어서 생각해 볼게요.

나부자: 안녕하세요, 영희 씨. 오늘부로 제가 땅 주인입니다. 이제 건물을 비워주시지요.

영희: 무슨 소리인가요? 저는 이 건물의 적법한 전세권자입니다. 등기도 되어 있습니다. 민법 제304조를 보세요. 남의 땅에 있는 건물에 전세권을 가진 경우에는 지상권 또는 임차권에 효력이 미친다고 되어 있잖아요.

나부자: 하하, 그건 법률 해석을 잘못한 겁니다. 제304조제1항을 보면, '지상권 또는 임차권'에 효력이 미친다고 되어 있지요. 다시 말해서 제304조는 지상권이나 임차권이 이미 있는 경우에 적용된다, 이 말입니다. 그런데, 철수가 적법한 지상권이 있습니까? 임차권은요?

영희: 네?

나부자: 저는 철수에게 지상권이나 임차권을 줄 생각이 없는데요? 따라서 철수에게 지상권이 없기 때문에, 당신은 제304조를 근거로 전세권을 행사할 수 없습니다. 나가 주시지요.

영희: ....

　　이렇게 되면 제아무리 물권으로서 전세권을 갖고 있다고 해도, 영희는 굉장히 곤란해집니다. 철수가 나부자에게 지상권을 따내지 못한다면, 영희는 지금 하던 일을 접어야 할 판입니다. 민법 제305조제1항은, 이처럼 대지와 건물이 동일한 소유자(철수)에게 속해 있다가, 건물에 전세권이 설정되었고(전세권자: 영희), 그러다가 땅이 팔린 경우, 그 특별승계인(나부자)은 전세권이 설정되었던 당시의 전세권 설정자(옛날 땅 주인=철수)에 대하여 지상권을 설정해준 것으로 본다는 것입니다.

따라서 철수는 토지 소유권이 이전된 시점(땅 주인이 철수에서 나부자로 바뀐 시점)에 법정지상권을 취득하게 되며, 민법 제187조에 따라 등기를 할 필요도 없이 지상권자가 됩니다(영희가 아니라 철수가 지상권자가 된다는 점에 유의). 물론, 등기를 안 해도 지상권 취득은 가능합니다만 지상권을 다시 처분하려면 등기를 해야 할 것입니다(제187조 단서).

그러면 이제 영희는 건물 주인인 철수가 땅 주인(나부자)에 대하여 지상권이 있다는 것을 근거로(민법 제304조) 전세권을 유효하게 행사할 수 있게 되는 것입니다. 논리 구조를 천천히 따라가 보시기 바랍니다.

이것이 민법 제305조제1항에 따른 법정지상권입니다. 결국 이 조문은, 얼핏 봐서는 옛날 땅 주인이었던 철수에게 법정지상권을 인정해 줌으로써 전세권 설정자가 이득을 보는 것 같지만, 실제로는 땅 주인이 이리저리 바뀌는 와중에 곤란한 상황에 처할 수 있는 건물 전세권자를 보호하기 위한 규정이라는 것을 알 수 있습니다.

물론, 법정지상권이 설정되면 나부자가 억울할 수도 있으므로, 제1항 단서에서는 땅세(지료)는 당사자의 청구에 의해 법원이 정해 주도록 하여 나부자가 확실히 땅세를 받아낼 수 있도록 조정하고 있습니다.

이제 제2항을 봅시다. 제305조제1항에 의해서 법률이 정하는 지상권(법정지상권)이 당연히 건물 소유자(철수)에게 발생하기 때문에, 제2항에서는 땅 소유자(나부자)가 다른 사람에게 땅을 임대하거나 지상권, 전세권을 설정하는 행위를 하지 못하도록 하고 있습니다. 제1항에 따른 자연스러운 귀결입니다.

2. 민법 제366조에 따른 법정지상권: 저당부동산의 경매

이 법정지상권은 마찬가지로 땅과 건물이 동일한 사람에게 소유되고 있다가, 저당권이 설정되고 실행되어 땅과 건물의 소유자가 다르게 되는 상황에서 발생하는 것입니다. 어차피 아직 저당권을 공부하지 않았기 때문에, 자세한 내용은 제366조 파트에서 언급하도록 하겠습니다.

3. 가등기담보 등에 관한 법률 제10조에 따른 법정지상권: 가등기 담보권 실행

가등기담보 등에 관한 법률
제10조(법정지상권) 토지와 그 위의 건물이 동일한 소유자에게 속하는 경우 그 토지나 건물에 대하여 제4조제2항에 따른 소유권을 취득하

거나 담보가등기에 따른 본등기가 행하여진 경우에는 그 건물의 소유를 목적으로 그 토지 위에 지상권(地上權)이 설정된 것으로 본다. 이 경우 그 존속기간과 지료(地料)는 당사자의 청구에 의하여 법원이 정한다.

가등기담보권자가 담보부동산에 대해서 가등기담보권 실행을 하여 땅과 건물의 소유자가 다르게 된 경우를 규율하고 있습니다. 가등기담보권은 예를 들어 철수가 나부자에게 1억원을 빌리면서, "만약 내가 기일 내에 돈을 갚지 못한다면, 내가 가진 땅의 소유권을 당신에게 넘겨주겠다"라고 하는 것입니다.

얼핏 보면 저당권이랑 비슷해 보이기는 하는데, 저당권은 담보물권을 설정하고 추후 땅을 경매에 넘겨서 채권의 만족을 얻는 것이라면, 가등기담보의 경우에는 땅의 소유권 자체가 나부자에게 넘어가게 되므로 차이점이 있습니다. 「가등기담보 등에 관한 법률」에서는 소비대차 또는 준소비대차에 따라 발생한 채권의 담보를 위한 가등기담보를 규율하고 있는데요, 여기서 가등기담보의 자세한 내용까지 다 알고 가실 필요는 없지만 가등기담보권이 실행되면 마치 저당권의 실행에서와 유사하게 '땅과 건물의 주인이 각각 다르게 되는' 사태가 발생할 수 있다는 것은 대략 유추할 수 있을 것입니다. 그래서 법정지상권을 규정하고 있는 것이지요.

4. 입목에 관한 법률 제6조에 따른 법정지상권: 입목저당권의 실행

입목에 관한 법률

제6조(법정지상권) ① 입목의 경매나 그 밖의 사유로 토지와 그 입목이 각각 다른 소유자에게 속하게 되는 경우에는 토지소유자는 입목소유자에 대하여 지상권을 설정한 것으로 본다.

② 제1항의 경우에 지료(地料)에 관하여는 당사자의 약정에 따른다.

입목에 대해서는 민법 총칙 편에서 공부한 적이 있었습니다. 이 법정지상권도 위에서의 논리와 유사하게, 땅과 그 위의 입목이 서로 다른 소유자에게 속하게 되는 경우를 규율하고 있습니다. 참고로 읽어 보시기 바랍니다.

5. 관습상 법정지상권: 땅과 건물이 같은 소유자에게 속해 있다가, 토지나 건물 둘 중 1개가 매매 등의 이유로 소유가 바뀌어 소유자가 달라지게 되는 경우

이건 저당권의 실행이나, 가등기담보가 실행되었다거나, 전세권이 설정되어 있었다거나 하는 사정없이, 그냥 건물을 판다든가(매매) 하는 이유로 땅과 건물의 소유자가 서로 달라지게 된 경우입니다. 이런 경우에 대해서는 우리 민법이나 다른 법률에 명확하게 규정된 것이 없고, 관습상 법정지상권을 인정해 주고 있습니다.

"아니, 법률에 말이 없는데 법정지상권을 누가 내어 준단 말입니까? 대통령인가요?"

　이상한 생각이 드실 수 있겠지만, 법정지상권을 인정해 주고 있는 것은 바로 우리의 대법원입니다. 관습상 법정지상권이라는 개념은, 아주 예전 조선고등법원판결(20세기 초반)부터 '한국에 관습이 있어서 특별히 인정해 주는 것'으로 존재해 왔다가, 해방 이후 대법원에서도 계속하여 인정해 왔던 것입니다(김준호, 2017).

　따라서 관습상 법정지상권에 대해서 민법 어디에서도 조문을 찾을 수는 없습니다. 판례에 의하여 인정되고 있는 것이니까요. '법'정지상권인데 '법'에 말이 없다니, 이게 말이 되는가 하고 생각하실 수도 있지만, 우리가 예전에 민법 제1조에서 공부하였듯 관습법도 법이니까요.

　관습상　법정지상권의　성립요건은　다음과　같습니다(박동진, 2022). ①토지와 건물이 같은 사람의 소유였다가, ②매매·증여·대물변제·공유물분할·강제경매·공매 등의 이유로 소유자가 달라지게 되어야 합니다. ③또한, 땅과 건물의 소유자가 달라질 때에는 건물을 철거하겠다는 등의 특약을 미리 정해두지 않아야 합니다.

*다만, 저당권 실행에 따른 경매의 경우에는 제366조가 따로 존재하고 있으므로 관습상 법정지상권이 굳이 적용될 필요가 없습니다.

　위의 3가지 요건을 충족하게 되면, 건물소유자는 땅에 걸린 법정지상권을 취득하게 됩니다. 심지어 이것은 법률(관습법)에 의한 물권변동에 해당되어, 민법 제187조에 따라 등기를 하지 않아도 효력을 발생합니다.

판례도 "관습법에 의하여 취득된 지상권은 법률에 의한 취득으로서 등기를 요하지 않으므로 그 지상권자는 등기 없이 대지매수인에게 지상권을 주장할 수 있다."라고 하여 같은 입장이고요(대법원 1972.07.25 선고 72다893).

다만, 이러한 관습상 법정지상권에 대해서는, 그 근거가 되는 '관습' 자체가 과연 있었는지, 그리고 아직 남아있다고 할 수 있는지 지적하는 견해가 있습니다. 또한, 등기 없이 인정되는 지상권의 존재가 거래의 안전을 해칠 수 있으며, 토지소유자에게 불리하고, 국민들의 법감정에도 맞지 않는다는 등 비판도 있지요(金尙泫·李承吉, 2009; 85-88면). 그 외에도 건물의 철거를 방지하기 위하여 굳이 지상권을 이용할 필요가 있느냐, 임차권이라는 대안을 검토할 필요가 있다는 지적도 있으니 참고하시기 바랍니다(권재문, 2008).

참고로, 우리 대법원도 이러한 비판에 대해 (당연히) 알고 있지만, 그럼에도 불구하고 여전히 관습(법)상 법정지상권은 공익상의 필요가 있다는 등의 이유를 들어 2022년에 전원합의체 판결로 종전의 판례를 재확인하였습니다(대법원 2022. 7. 21. 선고 2017다236749 전원합의체 판결).

위 전원합의체 판결에 대해서는 김재형 대법관의 반대의견도 있고, 아예 해당 판결에 대해서 비판적으로 평석하는 논문도 있으니 (윤진수, 2023) 관심 있는 분들은 판결문이나 참고문헌을 읽어 보시길 추천드립니다.

오늘은 법정지상권에 대해서 알아보았습니다. 특히 법정지상권의 경우 법률관계가 조금 복잡한 것들이 있으니, 천천히 곱씹어 보면서 복습해 보시면 좋을 것입니다. 얼핏 생각하면 '지상권'에 대한 내용인데, 전세권 파트에 있는 것이 조금 의아할 수도 있을 것입니다. 그러나 아까 말씀드린대로 제305조 자체가 궁극적으로는 건물 전세권자를 보호하는 규정이라는 것을 이해하신다면, 왜 이 조문이 이 위치에 있는지 조금은 납득하실 것이라고 생각됩니다.

참고로, 제305조에 대해서는 실무상 거의 적용되는 사례가 많지 않다는 비판도 있습니다. 왜냐, 현실에서는 일단 대지와 건물을 같은 사람이 갖고 있다가 땅만 처분하는 경우라면 대부분 건물 이용을 위한 지상권이나 임차권계약을 함께 체결할 것입니다. 미래에 건물을 어떤 권리로 사용하건 내 알바 아니고 귀찮게 계약 체결은 해서 뭐하냐고 생각하는 건물주는 거의 없겠지요. 그런 상태에서 건물에 전세권을 설정해준다면, 그 경우에는 제304조제1항에 따라 건물전세권자는 보호받을 수 있을 것이므로 제305조를 굳이 원용할 필요는 없을 것입니다.

다음으로, 설령 지상권이나 임차권계약이 없다고 하더라도, 앞서 말씀드린 관습상의 법정지상권을 인정받을 수도 있습니다. 매매 등의 사유로 대지와 건물의 소유자가 달라지게 된 경우, 철거 특약이 없는 한 판례는 관습상 법정지상권이 건물소유자에게 인정된다고 보고 있기 때문입니다.

따라서 제305조가 적용되는 사례는, 관습상 법정지상권조차 인정되지 않는 보기 드문 경우일 것입니다. 예를 들어 철거 특약이 있어 관습상 법정지상권이 인정되지 않는다면, 그 경우에는 건물소유자(건물전세권설정자)는 제305조제1항을 들어 법정지상권의 취득을 주장해볼 수 있겠지요(조용현, 2019). 어쨌거나 제305조도 쓰임새가 있기는 있는 만큼 아무 무의미한 조문까지는 아니라고 할 것입니다.

내일은 전세권의 양도와 임대에 대해 알아보겠습니다.

*참고문헌

권재문, "관습법상 법정지상권의 인정근거와 필요성에 관한 비판적 고찰", 한국법사학회, 법사학연구 제37호, 2008, 99-127면.

김준호, 「민법강의(제23판)」, 법문사, 2017, 739면.

金尙泫·李承吉, 慣習上 法定地上權에 關한 考察- 民法改正案 第279條의2에 對한 檢討를 中心으로 -, 한국법학회, 법학연구 제36호, 2009.11.,

85-88면.

김용덕 편집대표, 「주석민법 물권3(제5판)」, 한국사법행정학회, 2019, 316-318면(조용현).

박동진, 「물권법강의(제2판)」, 한국사법행정학회, 2022, 324-332면.

윤진수, "관습법상 법정지상권을 인정하는 판례에 대한 비판적 고찰 -대법원 2022. 7. 21. 선고 2017다236749 전원합의체 판결", 사법발전재단, 사법 통권 제65호, 2023, 261-303면.

[심화학습] 법정지상권의 여러 사례

앞서 여러 법정지상권에 대해 살펴보았는데요, 보다 섬세한 이해를 위해서 몇 가지 예시를 통해 법정지상권의 성립요건에 대해서 생각해 보는 시간을 가져볼까 합니다. 어쨌거나 심화학습이니까, 안보고 그냥 지나가서도 크게 문제는 없습니다. 대신 이하의 내용은 나중에 공부할 제366조, 채권자대위권 등의 내용을 모두 알고 있다는 전제 하에 진행할 것입니다.

1. 철수는 땅과 그 위에 건물을 신축하고, 소유하고 있습니다. 그런데, 그 건물은 등기를 하지 않은, 이른바 미등기건물(등기부에 소유권보존등기가 안 되어 있는 건물)이었습니다. 철수는 미등기건물은 빼고, 땅만 나부자에게 팔았습니다. 그리고 평소처럼 건물에서 생업을 이어갑니다. 그런데 나부자가 철수에게 이제는 땅 주인이 바뀌었으니 자기 땅에서 나가라면서 건물 철거하라고 합니다. 철수는 법정지상권을 인정받을 수 있을까요?

법정지상권이 인정되므로 건물을 철거하지 않아도 됩니다. 철수는 관습상 법정지상권의 요건을 충족합니다. 땅이 처분될 시점에 토지와 건물의 소유자는 모두 철수로 동일했고요. 소유권보존등기가 안 되어 있는 철수가 소유자가 맞느냐, 생각하실 수 있는데 맞습니다. 이는 건물을 신축한 철수는 건물을 원시취득하게 되는데, 이것은 법률행위에 의한 물권변동이 아니므로 등기 없이도 소유권을 얻게 되기 때문입니다(민법 제187조).

또한, 매매에 의하여 땅과 건물 소유자가 다르게 된 사안이며, 철수와 나부자 사이에 건물을 철거한다는 특약도 없었습니다. 결국 철수는 관습상의 법정지상권을 취득할 수 있으므로, 나부자의 철거요구에 불응할 수 있습니다. 다만, 공짜로 땅을 쓸 수 있는 것은 아니고 지료(땅세)는 나부자에게 내야 합니다. 그래도 건물을 철거하지 않는 것이 어딥니까.

2. 철수는 땅과 그 위에 건물을 신축하고, 소유하고 있습니다. 그런데, 그 건물은 등기를 하지 않은, 이른바 미등기건물(등기부에 소유권보존등기가 안 되어 있는 건물)이었습니다.

철수는 땅과 건물을 세트로 묶어서 나부자에게 팔았습니다. 땅에 대해서는 나부자 명의로 소유권이전등기를 했는데, 건물에 대해서는 등기를 여전히 하지 않았습니다.

그런데 이런 상황에서 나부자는 새로 산 땅에 저당권을 설정하고 최은행으로부터 돈을 빌렸습니다. 하지만 사업이 잘 되지 않아 나부자는 최은행에게 돈을 갚지 못했고, 최은행은 나부자의 땅을 경매로 넘겨버렸습니다.

최은행은 직접 경매에 참여해서, 나부자의 땅을 직접 낙찰받았습니다. 최은행은 이제 나부자에게, 땅 위에 있는 건물을 철거하라고 합니다. 나부자는 과연 법정지상권을 인정받아 건물을 철거하지 않아도 될까요?

법정지상권은 인정되지 않습니다. 먼저 제366조의 법정지상권을 생각해 봅시다(해당 파트 참조). 저당권 설정 당시 법률관계가 어떤지 따져 봅시다. 땅 소유자는 나부자이지만, 건물소유자는 나부자가 아니라 아직 철수입니다(등기 미완료). 따라서 저당권설정 당시 토지소유자와 건물소유자가 동일하여야 한다는 요건을 충족하지 못합니다(토지 소유자 나부자≠건물 소유자 철수). 결국 제366조에 따라 법정지상권을 취득할 수는 없습니다.

제366조가 안 된다면 관습상의 법정지상권은 어떨까요? 이런 상황에서 나부자는 이렇게 주장할 수 있을 것입니다. 처음에 철수에게서 땅과 건물을 사들일 때, 나부자 명의로 건물소유권 이전등기를 하지 않았기에 건물소유자는 여전히 철수라는 것은 인정하겠다 이겁니다. 하지만 이후 땅과 건물 소유자가 달라지게 되어 철수가 법정지상권을 취득하게 될 것이므로, 나부자는 그러한 철수의 법정지상권을 대위행사할 수 있다고 주장할 수도 있을 것입니다(채권자대위권 파트 참조).

그러나 이런 주장을 판례는 배척하였습니다. 법정지상권이라는 제도의 취지를 잘 생각해 보면, 이 사안에서 철수에게 법정지상권이 인정된다고 보기는 어렵다는 겁니다.

판례는 어떤 논거에서 그렇게 주장하는 걸까요? 우선, 이러한 상황은 형식과 실질이 일치하지 않는 상황이라고 할 수 있습니다. 형식적으로는(등기부상으로는) 건물 소유자가 여전히 철수(최초 매도인)인데, 실질적으로는 건물 소유자가 나부자(건물 매수인)인 것이니까요. 이런 경우 대법원은 소유권이 아닌 '처분권'이라는 개념을 제시합니다. 즉, 위 2번 사례와 같은 경우 나부자는 땅과 건물의 처분권은 함께 취득하였으므로, 적어도 철수와 나부자 사이의 관계에서는 굳이 철수에게 별도로 지상권을 인정해줄 실익이 적다는 것입니다.

결론적으로 (판례에 의하면) 최초의 매도인인 철수에게 법정지상권이 인정될 수 없고, 철수에게 법정지상권이 인정되지 않으므로 이를 대위행사할 수도 없으며, 나부자 본인에게도 법정지상권이 인정될 수 없으니(경락 당시 땅 소유자와 건물 소유자가 다름), 나부자는 최은행의 요구를 거절할 수 없을 것입니다.

대법원은 "관습상의 법정지상권은 동일인의 소유이던 토지와 그 지상건물이 매매 기타 원인으로 인하여 각각 소유자를 달리하게 되었으나 그 건물을 철거한다는 등의 특약이 없으면 건물 소유자로 하여금 토지를 계속 사용하게 하려는 것이 당사자의 의사라고 보아 인정되는 것이므로 토지의 점유·사용에 관하여 당사자 사이에 약정이 있는 것으로 볼 수 있거나 토지 소유자가 건물의 처분권까지 함께 취득한 경우에는 관습상의 법정지상권을 인정할 까닭이 없다 할 것이어서, 미등기건물을 그 대지와 함께 매도하였다면 비록 매수인에

게 그 대지에 관하여만 소유권이전등기가 경료되고 건물에 관하여
는 등기가 경료되지 아니하여 형식적으로 대지와 건물이 그 소유 명
의자를 달리하게 되었다 하더라도 매도인에게 관습상의 법정지상
권을 인정할 이유가 없다."라고 하고 있으니 참고 바랍니다(대법원
2002. 6. 20. 선고 2002다9660 전원합의체 판결).

3. 철수는 아버지로부터 상속받은 땅이 있습니다. 원래는 위에 아무것
도 없는 빈 땅이었는데, 철수는 여기에 건물을 하나 올렸습니다. 그
런데 철수는 신축한 건물을 소유권보존등기하지는 않았습니다(미등
기건물).
철수는 건물만 나부자에게 팔고, 이후 땅은 최투자에게 팔았습니다.
나부자는 사들인 건물에 이전등기를 아직 완료하지 않았습니다. 이
런 상황에서, 새로운 땅 주인인 최투자는 자기 땅 위의 건물을 철거
하라고 합니다. 나부자는 지상권이 인정될 수 있을까요? 아니면 건
물을 철거하여야 할까요?
*해당 사례는 대법원 1996. 3. 26. 선고 95다45545,45552,45569
판결을 기초로 재구성한 것입니다. 실제 사건에서는 상속포기, 무효
인 행위의 전환 등 다양한 논점이 자리하고 있지만, 여기서는 법정지
상권에 맞추어 사례를 단순화하였습니다. 참고 바랍니다.

나부자가 아직 지상권을 취득한 것은 아니나, 건물철거는 하지 않
아도 됩니다. 먼저, 이전등기가 완료되지 않았으므로, 여전히 미등

기건물의 소유자는 철수입니다. 철수가 나부자에게 건물을 팔았던 것이 1월 1일, 최투자에게 땅을 판 것이 3월 1일이라고 합시다(최투자는 3월 1일에 이전등기도 완료).

그러면 철수는 3월 1일 이후 미등기건물의 소유자로서 법정지상권을 취득하게 됩니다. 등기부상으로 3월 1일에 건물과 땅의 소유자가 달라지게 되었으니까요.

여기서 이런 의문이 생길 수 있습니다. 1월 1일 당시에는 철수에게도 법정지상권이 없었는데, 1월 1일에 건물을 넘겨 받은 나부자는 그럼 당연히 지상권을 취득할 수 없는 것이 아니냐 하는 질문이 그것입니다.

여기서 대법원은 이런 논리를 제시합니다. "건물소유자가 건물의 소유를 위한 법정지상권을 취득하기에 앞서 건물을 양도한 경우에도 특별한 사정이 없는 한 건물과 함께 장차 취득하게 될 법정지상권도 함께 양도하기로 하였다고 보지 못할 바 아니"라는 것입니다(대법원 1996. 3. 26. 선고 95다45545,45552,45569 판결). 즉, 철수는 미래 취득하게 될 법정지상권도 묶어서 나부자에게 건물을 팔았다고 해석할 수 있고, 그렇다면 나부자는 철수를 대위하여 최투자에게 지상권설정등기 및 지상권이전등기를 해줄 것을 청구할 수 있을 것입니다.

다만, 나부자는 아직까지 지상권이전등기를 해달라고 청구할 수만 있을 뿐 아직 지상권을 취득한 것은 아닙니다. '법정' 지상권을 취득한 것은 철수이고(민법 제187조), 나부자는 법률행위(매매)로 건물을 사들였기 때문에 지상권 역시 등기하여야 유효하게 취득합니다(민법 제186조).

"그러면 아직 지상권자도 아닌 나부자는 최투자의 요구에 따라 건물을 철거하여야 하지 않나요?"

얼핏 보면 그렇지만, 대법원은 다르게 보았습니다. 왜냐, 신의성실의 원칙에 반한다고 보았기 때문입니다. 위의 논리에 따르면, 최투자는 어쨌거나 지상권설정의 등기절차를 따라야 하는 사람입니다. 그런 사람이, 등기절차를 해주기는커녕 오히려 건물을 철거하라고 요구하는 것은 신의칙에 반하여 허용되지 않는다는 것이 대법원의 결론입니다.

대법원에 따르면, "법정지상권을 취득할 지위에 있는 건물 양수인에 대하여 대지 소유자가 건물의 철거를 구하는 것은 지상권의 부담을 용인하고 지상권설정등기절차를 이행할 의무가 있는 자가 그 권리자를 상대로 한 것이어서 신의성실의 원칙상 허용될 수 없다."라고 합니다(대법원 1996. 3. 26. 선고 95다45545,45552,45569 판결).

4. 철수는 땅과 그 위에 건물을 모두 소유하고 있습니다(이번에는 미등

기건물 아님). 철수는 땅과 건물을 모두 나부자에게 팔았습니다. 땅과 건물 모두 소유권이전등기도 해주었습니다.

한편 과거 철수에게 돈을 빌려주었던 채권자 중 최투자라는 사람이 있었는데, 최투자는 철수가 부동산을 나부자에게 매각한 것을 알고 화를 내며 사해행위취소소송을 제기하였습니다. 그런데 소송의 결과 나부자에게 '건물을 판 행위'만 취소되었습니다. 땅을 판 행위는 유효합니다. 이에 나부자 명의의 건물등기가 말소되었습니다. 그렇다면, 다시 건물 명의를 되찾게 된 철수는 나부자 소유의 땅을 이용할 수 있는 법정지상권을 획득하는 걸까요?

법정지상권을 획득할 수 없습니다. 왜냐, 사해행위 취소(채권자취소권 파트 참조)의 효력은 소송당사자인 채권자(최투자)와 수익자(나부자) 사이의 상대적인 것에 불과하므로, 채무자(철수)가 직접 권리를 취득하는 것은 아니기 때문입니다. 따라서 철수가 관습상 법정지상권을 취득하는 것은 아닙니다.

판례는 "민법 제406조의 채권자취소권의 행사로 인한 사해행위의 취소와 일탈재산의 원상회복은 채권자와 수익자 또는 전득자에 대한 관계에 있어서만 효력이 발생할 뿐이고 채무자가 직접 권리를 취득하는 것이 아니므로, 토지와 지상 건물이 함께 양도되었다가 채권자취소권의 행사에 따라 그중 건물에 관하여만 양도가 취소되고 수익자와 전득자 명의의 소유권이전등기가 말소되었다고 하더라도, 이는 관습상 법정지상권의 성립요건인 '동일인의 소유에 속하고 있던 토지와 지상 건물이 매매 등으로 인하여 소유자가 다르게 된 경우'에 해당한다고 할 수 없다."라고 합니다(대법원 2014. 12. 24. 선고 2012다73158 판결).

5. 철수와 영희, 영수는 땅을 1/3씩 지분으로 공유하고 있었습니다. 그리고 철수는 다른 공유자들의 동의를 얻어, 그 땅 위에 건물을 신축하고 등기하여 소유하고 있었습니다(땅은 공유, 건물은 철수 단독소유). 철수는 자기 소유의 건물을 나부자에게 팔았습니다(등기도 완료). 그렇다면 땅 소유자는 철수, 영희 및 영수이고, 건물 소유자는 나부자이므로, 나부자는 땅을 이용할 수 있는 법정지상권을 취득할 수 있을까요?

법정지상권을 취득할 수 없습니다. 일단 공유의 법리에 따르면, 건물 위의 철거 청구는 과반수 공유자가 동의하여야 할 수 있을 겁니다. 여기서는 건물을 판 철수는 가만히 있지만 영희나 영수가 나부자를 탐탁치 않아 해서, 건물을 철거하라고 청구했다고 하겠습니다.

이런 경우, 영희와 영수의 입장에서는 법정지상권의 성립요건 충족이 안 됩니다. 왜냐하면 이들 입장에서는 땅 소유자(공유자들)은 변동이 없었고, 건물은 처음부터 소유자(철수 단독소유)가 땅 소유자와 달랐기 때문입니다. 즉, 건물과 토지가 같은 사람에게 속해 있었을 것이라는 요건이 충족되지 않는 것입니다(김제완, 2015).

6. 철수와 영희, 영수는 땅을 1/3씩 지분으로 공유하고 있었습니다. 그리고 철수는 다른 공유자들의 동의를 얻어, 그 땅 위에 건물을 신축하고 등기하여 소유하고 있었습니다(땅은 공유, 건물은 철수 단독소유). 그러던 중 영수는 땅에 대한 자신의 1/3 지분을 나부자에게 팔았습니다. 나부자는 철수 및 영희와 계속 땅을 공유할 생각이 없어 공유물분할청구를 하였고, 경매의 결과 나부자가 땅의 단독소유자가 되었습니다. 이 경우, 철수는 자기 소유의 건물을 사용하기 위하여 법정지상권을 취득할 수 있을까요?

법정지상권을 취득할 수 없습니다. 얼핏 보기에는 땅과 건물의 소유자가 달라지는데 왜 법정지상권이 성립하지 않는지 의문이 들 수 있습니다.

왜냐하면, 만약 이러한 경우에 법정지상권을 취득할 수 있다고 해버리면 불합리한 결과가 될 수 있기 때문입니다. 땅의 공유자 중 1명에 불과했던 영수는 자기 지분을 마음대로 팔아버리고(지분 처분의 자유), 그 결과로 토지 전체에 적용되는 법정지상권이 설정되게 됩니다. 이는 결국 토지 공유자(영수) 1명의 지분 처분행위가 다른 공유자(철수, 영희)의 지분까지 영향을 미쳐 지상권설정을 하게 만드는 것이므로, 이와 같은 해석은 곤란하다는 것입니다. 다른 토지

공유자의 의사와는 상관없이 그 공유자의 토지지분에 따른 사용·수익권을 제한하게 되는 결과가 되어 부당하다는 것이 논거입니다(황문섭, 2005).

판례도 "토지공유자의 한 사람이 다른 공유자의 지분 과반수의 동의를 얻어 건물을 건축한 후 토지와 건물의 소유자가 달라진 경우 토지에 관하여 관습법상의 법정지상권이 성립되는 것으로 보게 되면 이는 토지공유자의 1인으로 하여금 자신의 지분을 제외한 다른 공유자의 지분에 대하여서까지 지상권설정의 처분행위를 허용하는 셈이 되어 부당하다."라고 하여 같은 입장입니다(대법원 1993. 4. 13. 선고 92다55756 판결).

7. 철수와 영희, 영수는 땅을 1/3씩 지분으로 공유하고 있었습니다. 그리고 철수는 다른 공유자들의 동의를 얻어, 그 땅 위에 건물을 신축하고 등기하여 소유하고 있었습니다(땅은 공유, 건물은 철수 단독소유). 그러던 중 나부자는 영수와 영희의 지분을 모두 사들여 과반수 지분권자가 되었습니다(3분의 2). 그리고 나부자는 철수에게 과반수 지분권자로서 건물의 철거를 요구합니다. 이 경우, 철수는 자기 소유의 건물을 사용하기 위하여 법정지상권을 취득할 수 있을까요?

법정지상권을 취득할 수 없습니다. 왜냐하면 만약 법정지상권이 철수에게 인정된다고 가정하면 철수는 본인이 지분을 갖고 있는 토지에 지상권을 설정하는 것이 되는데, 이와 같은 소위 '자기지상권'은 현행법상 불가능하다고 해석되기 때문입니다(김제완, 2015:127-128면). 이 사례에서는 설령 자기지상권을 인정한다고 하더라도 법정지상권의 요건을 갖추지 못하여 법정지상권이 인정될 수 없는데, 자세한 논거는 참고문헌을 참조해 주시기 바랍니다.

> 8. 철수는 땅 소유자입니다(단독소유). 그런데 그 땅 위에 있는 건물은 영희와 각각 1/2씩 지분으로 공유하고 있습니다(건물은 2명이 공유). 이런 상태에서 철수는 땅을 나부자에게 팔았습니다. 그렇다면 철수와 영희는 본인들이 공유하는 건물을 위해 대지 전체에 대한 법정지상권을 취득할 수 있을까요?

법정지상권을 취득합니다. 학설의 논란은 있습니다만, 여기서는 판례와 같은 결론으로 설명합니다(대법원 1977. 7. 26. 선고 76다388 판결). 영희의 입장만 놓고 보면, 애초부터 자기 소유가 아니던 땅이 팔렸던 것이므로 법정지상권을 영희에게까지 인정하는 것은 무리라고 생각할 수도 있습니다.

그러나 철수는 자기 소유의 땅과 자기 지분의 건물이 매매의 결과 소유자가 달라지게 된 것이므로 법정지상권을 취득하게 되는데, 이는 건물의 다른 공유자인 영희의 건물지분권을 위해서도 법정지상권을 취득한 것으로 해석하여야 한다는 것입니다(김수일, 2019).

정리하자면, 우리 판례는 토지는 공유하되 건물은 토지공유자 중 1인이 단독소유하는 경우 토지지분(또는 건물) 제3자 양도에 따른 법정지상권의 성립을 원칙적으로 부정합니다. 반면, 토지는 단독소유하되 토지소유자가 건물의 공유자 중 1인인 경우 토지(또는 건물지분) 제3자 양도에 따른 법정지상권의 성립은 긍정하고 있다고 보입니다(황문섭, 2005:191-193면).

*참고문헌

김용덕 편집대표, 「주석민법 물권3(제5판)」, 한국사법행정학회, 2019, 129-130면(김수일).

김제완, "공유토지 위의 단독소유건물·공유건물과 법정지상권", 대한변호사협회, 인권과 정의 통권 제449호, 2015, 129면.

황문섭, "부동산의 공유와 법정지상권의 성부", 법원행정처, 사법논집 제40집, 2005, 207면.

제306조(전세권의 양도, 임대 등)

전세권자는 전세권을 타인에게 양도 또는 담보로 제공할 수 있고 그 존속기간내에서 그 목적물을 타인에게 전전세 또는 임대할 수 있다. 그러나 설정행위로 이를 금지한 때에는 그러하지 아니하다.

어제는 전세권 공부하다가 갑자기 지상권 이야기가 나와서 많이 당황하셨을 겁니다. 오늘부터는 다시 근본 있게 전세권에 대해 논의합니다. 제306조 본문을 보겠습니다. 여기서는 전세권자가 전세권을 남에게 양도하거나, 담보로 제공할 수 있고, 존속기간 내에서 전전세나 임대를 놓을 수도 있다고 정합니다.

사실 전세권 역시 소유권과 마찬가지로 물권이기 때문에, 남에게 양도할 수 있는 것은 쉽게 이해가 가실 것입니다. 전세권을 돈 받고 팔 수 있는 거죠. 전세권을 사들인 사람은 이를 등기하고, 나중에 전세기간이 끝나면 전세권설정자에게 전세금을 받아 갈 수 있습니다.

전세권을 담보로 제공한다는 건 전세권을 목적으로 해서 저당권을 설정할 수 있다는 의미입니다. 아직 저당권을 자세히 공부하지는 않았으므로 예를 들어 보면, 전세권자가 돈이 좀 급해서 은행에서 돈을 빌리고, 대신 그 담보로 자신의 '전세권'을 저당 잡히는 것입니다(이러한 저당권을 전세권저당권이라고 부르는 경우도 있습니다). 이런 저당권설정의 경우에는 전세권 설정자의 동의는 딱히 필요 없고, 전세권자가 원하면 할 수 있습니다.

만약 전세권자가 은행에서 빌린 돈을 기일이 될 때까지도 갚지 않는다면, 은행은 (전세권의 존속기간 내에는) 전세권 자체를 경매에 부쳐 다른 제3자에게 팔아 버리고, 그 매각대금으로 빌려준 돈을 메꿀 수 있을 것입니다.

한편 경매에서 전세권을 낙찰 받은 사람은, 남은 전세 기간 동안 전세권자로서 목적물(부동산)을 사용·수익하면 되고요, 전세기간이 끝난 후에는 전세금을 반환받으면 되겠습니다(박동진, 2022).

*만약 전세기간이 다 끝난 뒤라면 은행이 돈을 회수하는 부분에서 조금 문제가 복잡해지는데요, 일단은 전세권 존속기간이 끝남으로써 전세권저당권은 소멸하기 때문에 저당권 실행은 어렵습니다(대법원 2008. 3. 13. 선고 2006다29372,29389 판결). 이 경우 전세권저당권자가 돈을 회수할 수 있는 방법에 대해서는 해당 판결문을 참조하여 주시기 바랍니다.

다음으로, 제306조 본문에 따르면 전세권을 전전세나 임대를 놓을 수 있습니다. 전전세란, 전세권자가 전세권의 범위 내에서 전세 목적물의 일부나 전부에 대해 제3자에게 다시 전세권을 설정해 주는 것을 말합니다(김준호, 2017).

예를 들어 철수가 자신의 건물을 영희에게 전세 주었는데(전세권자: 영희), 영희가 다시 그 건물을 민수에게 전세 주는 겁니다(전전세권자: 민수). 대충 표현하자면 이중 전세를 놓는 거죠. 참고로, 전전세권도 물권이기 때문에 등기를 해야 합니다.

"그러면 원래 전세를 놓은 철수 입장에서 좀 화가 나지 않을까요? 철수는 영희에게 전세를 준 거지, 생판 모르는 민수에게 전세를 줄 생각은 없었을 텐데요."

이렇게 생각하실 수도 있지만, 전세권 자체가 물권이고, 이 물권을 어떻게 활용할지는 전세권자에게 달린 것이기 때문에 전세권자(영희)는 딱히 원래 주인(철수)의 동의 없이도 전전세를 놓을 수 있습니다.

다만, 우리의 통설은 원래 전세의 내용을 '초과'해서 전전세를 놓을 수는 없다고 봅니다(조용현, 2019). 예를 들어 철수가 영희에게 전세를 주면서 받은 전세금이 2억원인데, 영희가 민수에게 전전세를 주면서 2억원을 넘는 금액을 전세금으로 받을 수는 없다는 겁니다. 또, 철수가 영희에게 전세를 2년을 주었는데, 영희가 민수에게 3년의 전세를 줄 수는 없는 거죠.

물론, 철수의 입장에서 아무래도 한 다리 더 건너 전전세를 주게 되면 건물의 관리나 법적 책임 같은 것이 걱정될 수 있는 부분이 분명히 있기 때문에, 우리 민법은 별도로 전전세에 대해 규율하는 조문을 두고 있습니다. 이 부분은 금방 나올 테니 해당 파트에서 말씀 드리도록 하겠습니다.

한편, 전세권자는 전세권의 목적물(예를 들면 건물)을 임대해 줄 수도 있습니다. 소유권자가 아닌데도 임대를 놓는다? 가능합니다. 제306조에 명시적으로 적혀 있으니까요.

위에서 말씀드린 전세권자의 행위들은, 사실 원칙적으로 전세권 설정자의 허락 없이도 가능한 것들입니다. 하지만 전세권 설정자의 입장에서는 내가 알지도 못하는 사람에게 전세가 또 넘어가는 것이 (혹은 담보로 설정되거나) 굉장히 열 받을 수 있겠죠.

그래서 제306조 단서에서는, 전세권을 설정하면서 특약사항을 넣는 경우에는 그러한 전세권자의 행위를 막을 수 있다고 하고 있습니다. 특약으로 전전세나 전세권의 담보 같은 것을 막아 버릴 수 있는 것입니다. 다만, 이러한 단서 규정은 물권으로서의 처분을 굳이 금지할 필요가 없다는 점에서 삭제해야 한다는 비판도 있다는 점, 참고로 알아 두시기 바랍니다(강태성, 2018).

오늘 공부한 제306조는, 전반적으로 전세권자가 투입한 목돈(전세금)에도 불구하고 어느 정도 수익을 누릴 수 있도록 보장해 주는 측면이 있다고 할 것입니다. 특히 전전세를 놓는 경우에는 본인도 전전세금을 받을 수 있으므로, 투하자본을 회수할 수 있다는 장점이 있습니다.

내일은 전세권양도의 효력에 대해 공부하도록 하겠습니다.

*참고문헌

강태성, "전세권에 관한 민법규정들의 검토 및 개정방향- 민법 제303조. 제306조. 제308조를 중심으로 -", 한국재산법학회, 재산법연구 제35권 제1호, 2018.5., 115면.

김용덕 편집대표, 「주석민법 물권3(제5판)」, 한국사법행정학회, 2019, 338면(조용현).

김준호, 「민법강의(제23판)」, 법문사, 2017, 765면.

박동진, 「물권법강의(제2판)」, 법문사, 2022, 362면.

배병일, "전세권저당권", 한국법학원, 저스티스 통권 제139호, 2013.12.

[심화학습] 전세권과 전세금반환채권의 분리 양도

앞서 우리는 전세권이 양도 가능하다는 것을 알아보았습니다. 여기서 잠깐, 전세권의 양도가 가능한 것은 알겠는데 이런 경우는 어떨까요? 전세권과 전세금반환채권을 쪼개어, 전세권을 그대로 갖고 있으면서 반환채권만 따로 양도하는 것은 가능할까요?

원칙적으로는 안 됩니다. 왜냐하면 전세금은 전세권의 본질과도 같은 것인데, 전세금을 돌려받을 권리만 따로 떼어서 판다는 것은 성질상 곤란하기 때문입니다. 판례도 같은 입장입니다(대법원 2002. 8. 23. 선고 2001다69122 판결).

그런데, 판례에 따르면 예외적으로 이것이 가능한 경우가 있습니다. 바로 2가지 경우인데요, 하나는 전세권 존속 중에는 장래에 그 전세권이 소멸하는 경우에 전세금 반환채권이 발생하는 것을 조건으로 그 장래의 조건부 채권을 양도하는 것(위 판결). 요약하자면 전세 기간 전에는 전세금반환채권을 따로 떼어서 양도하는 것은 불가하지만, 대신 조건부 채권으로서 '장래의 채권'을 따로 양도하는 것은 가능합니다. 그게 그거 아니냐, 이렇게 생각하실 수 있겠지만 다릅니다. 전에 총칙에서 '조건'에 대해 살펴보았던 것을 기억해 보시기 바랍니다.

다음으로 양도가 가능한 전세권의 존속기간이 끝난(?) 경우입니다. 이에 대해서 지금부터 말씀드릴까 합니다.

"아니, 존속기간이 끝나면 전세권이 소멸하는데, 전세금반환채권은 팔 수 있다니, 무슨 말입니까?"

이 부분이 다소 까다로운 파트입니다만, 앞서 전세권의 본질에 관한 [심화학습] 편에서 말씀드렸듯이 전세권은 용익물권이면서 담보물권으로서의 성질도 갖고 있습니다.

따라서 존속기간이 경과하는 경우에는 전세권의 '용익물권'으로서의 권능은 소멸하지만, '담보물권'으로서의 권능은 여전히 살아 있다고 보는 것입니다. 말하자면 용익물권적 전세권은 소멸하였지만, 담보물권적 전세권은 살아 있다고 표현할 수 있겠습니다.

왜냐, 전세권이 그냥 말 그대로 모조리 소멸해 버린다고 하면, 전세금을 아직 돌려받지 못한 전세권자는 더 이상 전세권등기에 의하여 자신의 전세금을 돌려줄 것을 청구할 수 없게 되어 버리기 때문입니다. 즉, 전세권설정등기가 전세금을 돌려받을 수 있을 때까지는 유효하게 살아 있다는 결론을 내야 하는데, 그것을 뒷받침할 수 있는 논거가 바로 '담보물권'으로서의 성격이라는 것입니다.

이러한 논리에 따르면 존속기간이 끝난 뒤에 담보물권적 권능만 남은 전세권과 전세금반환채권을 함께 파는 것은 얼마든지 가능합니다. 아래의 판례는 이를 구체적으로 설명하고 있으니 참고 삼아 읽어 보시기바랍니다:

"전세권설정등기를 마친 민법상의 전세권은 그 성질상 용익물권

적 성격과 담보물권적 성격을 겸비한 것으로서, 전세권의 존속기간
이 만료되면 전세권의 용익물권적 권능은 전세권설정등기의 말소
없이도 당연히 소멸하고 단지 전세금반환채권을 담보하는 담보물
권적 권능의 범위 내에서 전세금의 반환시까지 그 전세권설정등기
의 효력이 존속하고 있다 할 것인데, 이와 같이 존속기간의 경과로
서 본래의 용익물권적 권능이 소멸하고 담보물권적 권능만 남은 전
세권에 대해서도 그 피담보채권인 전세금반환채권과 함께 제3자에
게 이를 양도할 수 있다 할 것이지만 이 경우에는 민법 제450조 제
2항 소정의 확정일자 있는 증서에 의한 채권양도절차를 거치지 않
는 한 위 전세금반환채권의 압류·전부 채권자 등 제3자에게 위 전
세보증금반환채권의 양도사실로써 대항할 수 없다."(대법원 2005.
3. 25. 선고 2003다35659 판결)

그런데 우리 대법원은 여기서 한 걸음 더 나아갑니다(!). 대법원에
따르면 담보물권적 권능만 남은 전세권은 그대로 두고 그냥 전세금
반환채권만 따로 떼어서 파는 것도 가능합니다. 대신, 그러한 채권
을 사들인 사람(양수인)은 담보물권이 없는 무담보채권을 사들인 것
으로 해석한다는 것입니다.

판례는 이에 대해 "전세권이 담보물권적 성격도 가지는 이상 부
종성과 수반성이 있는 것이므로 전세권을 그 담보하는 전세금반환
채권과 분리하여 양도하는 것은 허용되지 않는다고 할 것이나, 한편
담보물권의 수반성이란 피담보채권의 처분이 있으면 언제나 담보

물권도 함께 처분된다는 것이 아니라 채권담보라고 하는 담보물권 제도의 존재 목적에 비추어 볼 때 특별한 사정이 없는 한 피담보채권의 처분에는 담보물권의 처분도 당연히 포함된다고 보는 것이 합리적이라는 것일 뿐이므로, 피담보채권의 처분이 있음에도 불구하고 담보물권의 처분이 따르지 않는 특별한 사정이 있는 경우에는 채권양수인은 담보물권이 없는 무담보의 채권을 양수한 것이 되고 채권의 처분에 따르지 않은 담보물권은 소멸한다."라고 합니다(대법원 1999. 2. 5. 선고 97다33997 판결).

위 판례에서 말하는 '특별한 사정'의 예를 들자면 다음과 같습니다. 전세권 존속기간이 끝난 후 전세권자가 전세금반환채권을 제3자에게 팔았는데, 전세 목적물(부동산)은 전세권설정자에게 돌려줘 버리고 전세권등기를 말소해 버리는 겁니다(김준호, 2017).

이 논의에서는 전세권에 용익물권적 권능과 담보물권적 권능이 모두 포함되어 있다는 점을 이해하는 것이 중요할 것입니다. 특히, 전세권이 존속 중인 경우와 용익물권적 권능이 끝난 이후를 나누고 있는 이유를 한번 찬찬히 음미해 보시기 바랍니다.

*참고문헌

김준호, 「민법강의(제23판)」, 법문사, 2017, 764-765면.

제307조(전세권양도의 효력)

전세권양수인은 전세권설정자에 대하여 전세권양도인과 동일한 권리의무가 있다.

우리는 앞서 제306조를 공부하여, 전세권 역시 다른 물권과 마찬가지로 남에게 양도할 수 있는 것이라는 사실을 배웠습니다. 제307조는 이처럼 전세권이 양도된 경우에는, 양수인(사들인 사람)은 전세권 설정자에 대해서 양도인(판 사람)과 동일한 권리의무를 가진다고 정하고 있습니다.

예를 들어 보겠습니다. 철수는 건물 주인(소유자)이고, 그 건물을 영희에게 전세금 2억원에 전세를 주었습니다(전세권설정자=철수, 전세권자=영희). 영희는 전세권을 나부자에게 돈 받고 팔았습니다(양도). 앞서 공부했듯이 딱히 철수의 동의가 필요했던 건 아니라서 영희는 철수에게 말하지 않고 그냥 전세권을 팔았지요.

그리고 시간이 지나 전세권 계약에 따른 기간이 끝났습니다. 나부자는 철수에게 찾아가, "처음 전세 줄 때 영희에게 받았던 전세금 2억원을 돌려달라."라고 말합니다. 그러자 철수는, "내가 계약한 것은 영희이지 당신이 아니다. 내가 왜 당신에게 2억원을 돌려주어야 하는가?" 이렇게 말합니다. 가능할까요?

제307조에 따르면 가능하지 않습니다. 나부자는 전세권양도인인

영희의 법적 지위를 총체적으로 인수했다고 볼 수 있으므로, 영희에게 얼마를 주고 전세권을 샀건 간에 영희가 처음 지급했던 2억원의 전세금을 철수에게서 수령할 권리가 있습니다(지원림, 2013). 철수는 2억원을 내놓아야 합니다.

오늘은 전세권의 양도가 어떤 효과를 갖는지에 대해 알아보았습니다. 내일은 전전세에 뒤따르는 책임에 대해 알아보도록 하겠습니다.

*참고문헌

지원림, 민법강의, 홍문사, 제11판, 2013, 704면.

제308조(전전세 등의 경우의 책임)

전세권의 목적물을 전전세 또는 임대한 경우에는 전세권자는 전전세 또는 임대하지 아니하였으면 면할 수 있는 불가항력으로 인한 손해에 대하여 그 책임을 부담한다.

우리는 제306조를 공부하면서 처음 전전세에 대해 알아보았습니다. 전전세란 전세권이 이미 존재한다는 것을 전제로 해서, 전세권자가 제3자에게 다시 전세권을 설정하여 주는 것이라고 했었습니다. 그런데 이 전전세라는 것은 무제한으로, 아무렇게 허용해 주기는 어려울 것입니다. 그래서 제308조는 어느 정도 전전세에 따르는 책임을 규정하려고 하는 것입니다.

제308조는 전세권자가 전전세를 주거나, 다시 임대를 놓는 경우에는 전세권자가 그러한 행위를 하지 아니하였으면 면할 수 있는, 불가항력으로 인한 손해에 대하여 책임을 져야 한다고 규정하고 있습니다. 비록 전세권 설정자(보통은 건물 소유자 같은 사람이 해당되겠지요)의 동의 없이 전전세를 주는 것 자체는 (특약으로 따로 금지하지 않는 한) 허용해 주는 것이지만, 자유에 따른 책임도 커진다는 것입니다.

그러면 제308조에서 말하는 '전전세 또는 임대하지 아니하였으면 면할 수 있는 불가항력으로 인한 손해'란 무엇일까요? 이를 곧이곧대로 해석하자면 뭔가 좀 이상한 부분이 생깁니다. 불가항력으로 인한 손해라는 것은 예를 들어 벼락이 떨어져서 건물이 부서져 버린다든가 하는 것인데, 전전세라는 것은 그 부동산을 사용하는 사람이 바뀌는 것뿐이지 부동산 자체의 위치가 바뀌는 것은 아닙니다.

그러니까 '전전세 또는 임대를 했었는지와 상관없이' 그 부동산은 그 벼락을 맞을 운명이었다는 겁니다. 그러면 '전전세 또는 임대하지 않았다면 면할 수 있었던 손해'라는건 액면 그대로 해석하면 거의 현실에 존재하기 어려운 손해가 됩니다. 제308조가 유명무실해지는 거죠.

그래서 우리의 학설(다수견해)은, 제308조를 표현 그대로 해석하지 않고 "전전세(임대)를 한 후에 손해가 발생하면, 전세권자는 그 손해가 불가항력에 의해 발생한 것임을 입증하여야 하고, 그 입증을 하지 못하면 손해가 발생한 사실만으로도 배상의 책임을 져야 한다"라고 해석합니다(김준호, 2017; 강태성, 2004). 즉 전세권자나 전전세권자의 귀책사유를 불문하고 배상책임이 발생하게 되므로, 증명책임의 전환을 규정한 것이라고 해석합니다(강태성, 2018).

*증명책임의 전환에 대해서는 아직 별도로 설명을 드리지는 않겠습니다. 검색하셔서 간단한 개념만 알고 가셔도 충분합니다. 다만, 위에 언급한 다수 견해에 대해서는 다수설과 달리 예외적인 사례를 상정할 수 있다거나, 제308조는 입법론적으로 문제가 있다는 지적 등이 존재합니다. 소수견해와 비판 등에 대해서는 아래 참고문헌(강태성, 2018)에 상세히 기재되어 있으니 관심이 있으신 경우에는 참고하시기 바랍니

다.

오늘은 전전세 또는 다시 임대를 놓는 경우 발생하는 책임에 대해 알아보았습니다. 내일은 전세권자의 유지 및 수선 의무에 대해 공부하도록 하겠습니다.

*참고문헌

강태성, "전세권에 관한 민법규정들의 검토 및 개정방향- 민법 제303조. 제306조. 제308조를 중심으로 -", 한국재산법학회, 재산법연구 제35권 제1호, 2018.5., 122면.

강태성, "轉質(權)에 관한 解釋과 立法論", 한국법학원, 저스티스 통권 제78호, 2004.4., 11면.

김준호, 「민법강의(제23판)」, 법문사, 2017, 766면.

제309조(전세권자의 유지, 수선의무)

전세권자는 목적물의 현상을 유지하고 그 통상의 관리에 속한 수선을 하여야 한다.

제309조는 전세권자의 의무에 대해 언급하고 있습니다. 전세권의 경우에는 권리(전세권)에 따른 의무가 있고, 그중 하나가 바로 오늘 공부할 제309조입니다. 먼저 전세권자는 목적부동산을 점유하여 그 부동산의 용도에 따라 사용 및 수익할 권리가 있습니다(제303조제1항).

이러한 전세권자의 권리에 대응하여, 전세권 설정자는 그러한 전세권자의 부동산 사용, 수익을 방해해서는 안될 소극적인 의무를 지고 있습니다(김준호, 2017).

어찌 보면 당연한 이야기입니다. 전세권자는 제309조에 따라 목적물인 부동산의 현상(現狀)을 유지하고, 통상적인 관리에 따르는 수선(수리)을 하여야 하는 의무를 지고 있습니다(현상유지의무와 수선의무). 즉 자연스럽게 통상적인 관리에 드는 비용도 전세권자가 지게 되는 것이지요.

이는 임대차와는 차이가 나는 부분입니다. 우리 민법은, 임대차의 경우에는 빌려준 사람(임대인)이 계약 기간 동안 그 물건의 사용, 수익에 필요한 상태를 유지할 의무를 지고 있습니다(제623조). 반면 전세권의 경우에는 빌린 사람(전세권자)가 의무를 지는 것이지요.

제623조(임대인의 의무) 임대인은 목적물을 임차인에게 인도하고 계약 존속중 그 사용, 수익에 필요한 상태를 유지하게 할 의무를 부담한다.

예를 들어 철수가 자신의 부동산을 영희에게 빌려 주어 사용하게 하고 싶다면, 2가지 방식을 고려해 볼 수 있는 것입니다. 전세권(물권)을 설정하여 주는 경우, (언젠가 철수가 돌려받을) 부동산이 훼손되거나 문제가 있는 경우 전세권자인 영희가 책임지고 그걸 고쳐야 합니다. 철수는 부동산의 유지비용에 크게 부담을 느낄 필요가 없게 되지요.

대신, 영희가 철수의 동의도 없이 전전세를 놓거나 다시 임대를 놓을 수 있는데, 그런 부분은 싫더라도 감내해야 합니다(그게 싫으면 전세권 설정계약 시에 특약조항을 두어야 합니다).

한편 임대차계약을 맺고(예를 들어 채권적 전세), 보증금을 받는 경우에는 민법 제623조에 따라 부동산에 문제가 생기면 임대인인 철수 스스로가 그걸 수리해 주어야 합니다. 수리비용도 철수가 냅니다(혹은 임차인이 필요비상환청구권을 행사할 수 있습니다). 즉 철수의 입장에서는 부동산의 유지비용에 부담이 생기는 거죠.

반면, 영희가 다시 물건을 재임대(이를 소위 '전대차'라고 합니다)할 때에는 임대인인 철수의 동의가 필요하므로, 철수는 좀 더 부동산을 자신의 통제권 하에 둘 수 있습니다.

*임대인의 수선의무는 사실 부동산의 사소한 문제라도 하나 생기면 모두 고쳐 주어야 한다는 의미는 아닙니다. 경미하고 사소한 하자 같은 경우에는 임대인이 고칠 의무가 없다는 판례도 있고, 임대인의 수선의무 역시 범위가 있기는 합니다. 다만, 여기서는 그런 부분까지는 상세히 알아보지 않고 단순히 전세권과 임대차의 차이점을 이해하는 정도에서 넘어가도록 하겠습니다.

　오늘은 전세권자의 의무를 알아보았고, 대략 전세권과 임차권 사이에 어떤 차이가 있는지도 공부하였습니다. 다만, 위에도 언급하였듯이 임대인의 수선의무도 모든 수리에 적용되는 것이 아니고, 세밀한 부분에서는 예외가 존재할 수 있기 때문에 "전세권의 경우에는 전세권자가 무조건 책임을 지고, 임차권의 경우에는 임대인이 무조건 책임을 진다"라는 극단적인 생각은 하지 않는 것이 좋습니다.

　내일은 전세권자의 상환청구권에 대해 살펴보도록 하겠습니다.

*참고문헌
김준호, 「민법강의(제23판)」, 법문사, 2017, 760면.

제310조(전세권자의 상환청구권)

①전세권자가 목적물을 개량하기 위하여 지출한 금액 기타 유익비에 관하여는 그 가액의 증가가 현존한 경우에 한하여 소유자의 선택에 좇아 그 지출액이나 증가액의 상환을 청구할 수 있다.
②전항의 경우에 법원은 소유자의 청구에 의하여 상당한 상환기간을 허여할 수 있다.

제310조제1항을 읽어 봅시다. 이에 따르면, 전세권자는 목적물을 개량하기 위하여 지출한 금액이나 그 밖의 유익비에 대해서, 그 가액의 증가가 현존하는 경우에 한하여 소유자의 선택에 따라 그 지출액(또는 증가액)의 상환을 청구할 수 있다고 합니다. 이를 전세권자의 **유익비상환청구권**이라고 합니다.

전에 우리는 유익비에 대해 공부한 적이 있었습니다. 바로 점유자의 상환청구권(제203조)에서입니다.

제203조(점유자의 상환청구권) ①점유자가 점유물을 반환할 때에는 회복자에 대하여 점유물을 보존하기 위하여 지출한 금액 기타 필요비의 상환을 청구할 수 있다. 그러나 점유자가 과실을 취득한 경우에는 통상의 필요비는 청구하지 못한다.
②점유자가 점유물을 개량하기 위하여 지출한 금액 기타 유익비에 관하여는 그 가액의 증가가 현존한 경우에 한하여 회복자의 선택에 좇아 그 지출금액이나 증가액의 상환을 청구할 수 있다.

③전항의 경우에 법원은 회복자의 청구에 의하여 상당한 상환기간을 허여할 수 있다.

필요비란 부동산의 유지 및 보수 등에 들어가는 유지비 등이고, 유익비는 더 나아가 물건의 효용을 증진시키고 재산적 가치를 증가시키는 비용이라고 했습니다(제203조 부분을 복습하고 오셔도 좋습니다).

우리가 어제 공부한 제309조에 따르면, 전세권자가 애초에 목적 부동산의 수선을 해야 할 의무가 있기 때문에, 전세권자에게는 부동산 소유자에 대한 필요비상환청구권은 인정되지 아니합니다. 반면 유익비상환청구권의 경우에는 제310조제1항에 따라 가액의 증가가 현존한 경우에 한하여 인정하고 있습니다. 그 외에 소유자의 선택에 따른다는 의미 등은 제203조에서 이미 공부하였으므로, 해당 파트의 설명으로 갈음하도록 하겠습니다.

*참고로, 유익비를 지출하고 난 후에 전세권의 목적물인 부동산 소유자가 바뀌는 경우에는, 나중에 전세권이 소멸할 때 시점의 소유자를 상대로 유익비상환청구를 하면 됩니다(양창수·김형석, 2015).

이제 제2항을 봅시다. 제2항에서는, 제1항에 따라 전세권자가 유익비상환청구권을 행사하는 경우에 법원은 소유자의 청구에 의하여 상당한 상환기간을 허락해 줄 수 있다고 정하고 있습니다(나중에 이 공부할 유치권과 관련해서 의미 있음). 이 부분 역시 제203조에서 유사한 조문을 통해 공부하였으므로, 넘어가도록 하겠습니다.

오늘은 전세권자의 유익비상환청구권에 대해 알아보았습니다. 내일은 전세권의 소멸청구에 대해 공부하도록 하겠습니다.

*참고문헌

양창수·김형석, 「권리의 보전과 담보」, 박영사, 2015, 673면.

제311조(전세권의 소멸청구)

①전세권자가 전세권설정계약 또는 그 목적물의 성질에 의하여 정하여진 용법으로 이를 사용, 수익하지 아니한 경우에는 전세권설정자는 전세권의 소멸을 청구할 수 있다.
②전항의 경우에는 전세권설정자는 전세권자에 대하여 원상회복 또는 손해배상을 청구할 수 있다.

전세권 역시 다른 물권과 마찬가지로 수명을 다하고 없어질 수 있습니다. 소멸의 원인은 다른 물권과 마찬가지로 존속기간의 만료, 혼동 등을 생각해 볼 수 있겠지요. 한편, 오늘 공부할 제311조는 전세권에 있는 특별한 소멸사유를 제시하고 있습니다. 지금부터 전세권설정자의 전세권소멸청구권을 살펴보도록 하겠습니다.

제311조제1항을 봅시다. 전세권자가 전세권의 설정계약 또는 그 목적물의 성질에 따른 용법으로 사용, 수익하지 않은 경우에는 전세권설정자가 나서서 전세권의 소멸을 청구할 수 있다고 합니다.

예를 들어, 우리가 공부한 제306조를 떠올려 보지요. 계약할 때 전전세를 놓지 말라고 금지했음에도 불구하고 이를 위반해서 전전세를 마음대로 주어 버렸다면, 이는 제311조제1항에 따라 전세권소멸청구를 할 수 있는 경우에 해당할 것입니다(김준호, 2017).

제306조(전세권의 양도, 임대 등) 전세권자는 전세권을 타인에게 양도 또는 담보로 제공할 수 있고 그 존속기간내에서 그 목적물을 타인에

게 전전세 또는 임대할 수 있다. 그러나 설정행위로 이를 금지한 때에는 그러하지 아니하다.

그러면 '정하여진 용법'으로 사용하지 않는 것은 무엇일까요? 학설에서는 단순히 주택용 건물을 영업용으로 사용한다든가 하는 행위 같은 것 외에도, 우리가 제309조에서 공부했던 전세권자의 의무를 게을리하는 행위도 포함된다고 보아, 확장된 해석을 하고 있습니다(지원림, 2013).

제309조(전세권자의 유지, 수선의무) 전세권자는 목적물의 현상을 유지하고 그 통상의 관리에 속한 수선을 하여야 한다.

우리의 학설은 대체로 이러한 전세권 소멸청구권을 (청구권이라는 이름을 쓰고 있음에도 불구하고) 형성권으로 보아, 전세권설정자의 일방적인 의사표시만으로 등기 없이도 전세권이 소멸한다고 보고 있는 듯합니다(강태성, 2018). 물론, 형성권으로 보는 것에 대해서 비판하는 입장도 있고, 말소등기가 별도로 필요하다는 견해도 있는 등 제311조에 대해서는 학계의 논쟁이 있다는 것 정도는 알고 지나가시면 좋겠습니다(김준호, 2017; 강태성, 2018).

*우리가 전에 공부하였던 지상권의 소멸청구권의 경우(민법 제287조)에도 학설이 그 성질을 형성권으로 보았던 것을 떠올리면서 복습하시면 좋을 듯합니다.

제2항에서는, 제1항에 따라 소멸청구를 한 경우에, 전세권설정자는 전세권자에 대해 원상회복이나 손해배상을 청구할 수 있다고 합니다.

오늘은 전세권의 소멸청구에 대해 알아보았습니다. 내일은 전세권의 존속기간에 대해 살펴보겠습니다.

*참고문헌

강태성, "민법 제311조에 대한 검토 및 개정안", 경북대학교 법학연구원, 법학논고 제63집, 2018.10., 170면-179면.

김준호, 「민법강의(제23판)」, 법문사, 2017, 767면.

지원림, 「민법강의(제11판)」, 홍문사, 2013, 703면.

제312조(전세권의 존속기간)

①전세권의 존속기간은 10년을 넘지 못한다. 당사자의 약정기간이 10년을 넘는 때에는 이를 10년으로 단축한다.

②건물에 대한 전세권의 존속기간을 1년 미만으로 정한 때에는 이를 1년으로 한다.

③전세권의 설정은 이를 갱신할 수 있다. 그 기간은 갱신한 날로부터 10년을 넘지 못한다.

④건물의 전세권설정자가 전세권의 존속기간 만료전 6월부터 1월까지 사이에 전세권자에 대하여 갱신거절의 통지 또는 조건을 변경하지 아니하면 갱신하지 아니한다는 뜻의 통지를 하지 아니한 경우에는 그 기간이 만료된 때에 전전세권과 동일한 조건으로 다시 전세권을 설정한 것으로 본다. 이 경우 전세권의 존속기간은 그 정함이 없는 것으로 본다.

오늘은 전세권의 존속기간에 관한 내용을 알아보겠습니다. 제1항에서는 전세권의 존속기간이 10년을 넘지 못하도록 하고 있습니다. 예를 들어 철수가 자신이 가진 건물에 대해서 영희에게 전세권을 설정하여 주고, 계약에서 기간을 12년으로 했다고 하더라도 그 기간은 10년으로 단축해서 본다는 것입니다(제1항 후단).

그런데 왜 이런 제한을 두고 있는 것일까요? 전세권의 존속기간이 10년이 넘으면 큰일이라도 나는 것일까요? 왜 제312조제1항 같은 조문이 있는 것인지에 대해서는 학설이 다양하게 나오고 있습니다.

　지상권의 경우에는 지상물을 존속시키는 것이 사회경제적으로 이익이고, 지상물에 자본을 투하한 지상권자의 보호도 되므로 존속기간이 길어도 상관없습니다. 하지만 전세권의 경우에는 목적물에 전세권자가 (대체로) 큰 투자를 하는 것도 아니고, 오히려 소유권을 제한하는 강력한 제한물권이니만큼 기간을 너무 길게 주어서는 안된다는 의견이 있습니다(김증한·김학동, 1997). 그러나 한편으로는 이런 규정을 두고 있는 것 자체가 계약자유의 원칙을 위반하고 있고, 따라서 위헌이라는 견해도 있으므로 참고하시기 바랍니다(곽윤직·김재형, 2015). 학설의 자세한 내용과 찬반대립은 말씀드린 참고문헌을 참조하시면 되겠습니다.

　이제 제2항을 봅시다. 만약 서로 합의가 되어서, 계약서에 "내 건물에 대한 전세권 기간은 9개월로 하자."라고 적어 놓는다고 하더라도, 제2항에 의하면 그것은 1년으로 보도록 하고 있습니다. 이는 전세권의 기간을 따로 약정하지 않은 경우에도 적용된다고 볼 것입니다. 즉, 어떤 경우라도 최소 1년은 전세 기간을 보장하도록 하는 것이지요(김준호, 2017). 제2항은 건물전세권자를 보호하기 위한 규정입니다.

　특이할 만한 것은, 제2항은 그냥 전세권이 아니라 '건물'에 대한 전세권으로 명시하고 있다는 것입니다. 따라서 토지 전세권의 경우에는 해당사항이 없습니다.

제3항을 보겠습니다. 전세권은 당사자들의 합의에 의하여 갱신할 수 있습니다(이른바 약정갱신). 다만, 갱신을 하더라도, 그 기간은 갱신한 날부터 10년을 넘지 못한다고 합니다. 갱신할 때에는 10년을 넘길 수 있다고 하면, 사실상 제1항이 무력화되는 셈이니 곤란하겠지요. 물론, 갱신을 하더라도 해당 내용은 등기를 하여야 효력이 발생한다는 점, 기억해 두시면 좋겠습니다(민법 제186조).

제4항을 보겠습니다. 뭔가 문장이 긴데, 이건 무슨 말일까요? 예를 들어 보겠습니다. 철수는 한 건물의 소유자입니다. 철수는 목돈이 필요해서, 건물을 전세를 놓았고, 옆집의 영희에게 전세권을 주기로 하였습니다. 이들은 전세권 설정계약을 맺고, 기간은 5년, 전세금은 3억원으로 합의하였습니다.

영희는 철수의 건물을 빌려서 잘 썼는데, 벌써 5년이 흘러 전세기간이 거의 끝날 때가 되자 좀 불안해졌습니다. 그래서 기간 종료 전 6개월 전부터 철수에게 여러 차례 연락해, "제 전세권 갱신해 주실 건가요?" 이렇게 물어보았습니다. 무슨 일이라도 있는 건지, 철수는 읽고 답이 없습니다.

영희는 철수가 별 말이 없는 것이 좀 찝찝하기는 하지만 갱신을 해주긴 할건가 보다, 생각하고 안심하고 있었습니다. 그런데 전세권 존속기간이 이틀 남았을 때, 철수에게 전화가 옵니다. 방을 빼라는 거죠. 당황한 영희는 "아니, 갑자기 이렇게 나가라고 하면 어떻게 합니까? 저는 당연히 갱신해 주실 줄 알고 다른 건물은 알아보지도 않았는데…" 이렇게 얘기해 보지만, 철수는 전세금을 1억원 올려 주든지 아니면 나가라며 막무가내입니다.

　이런 경우 영희는 제312조제4항을 인용하여 철수에게 반박할 수 있습니다. 건물의 전세권설정자(철수)가 전세권 존속기간이 끝나기 전 6개월 전부터 1개월 전까지, 그 사이에 전세권자(영희)에 대하여 갱신거절의 통지("전세권 갱신 못해줍니다") 또는 조건을 변경하지 아니하면 갱신하지 아니한다("전세금 1억원 안 올려주면 갱신 안합니다")는 뜻의 통지를 하지 않은 경우이므로, 전세권자는 그 기간이 만료된 때에 기존의 전세권과 동일한 조건(전세금 3억원)으로 다시 전세권을 설정해 준 것으로 보아야 합니다. 다만, 존속기간은 정함이 따로 없는 전세권이라고 봅니다(제4항 단서). 따라서, 영희는 갑자기 나갈 곳을 알아보지 않아도 됩니다.

*원문에는 '전전세권'이라고 되어 있어서 우리가 전에 공부한 전전세와 헷갈릴 수 있는데, 한자가 다릅니다. 제312조제4항의 전전세권은 전(前)전세권으로, '예전 전세권'을 의미하는 것이고, 우리가 공부한 전전세는 '바뀌다, 옮기다, 구르다'라는 뜻의 전(轉)을 씁니다.

　이러한 제4항의 규정은, 전세권자를 갑작스러운 "방 빼라"는 요구로부터 보호하기 위하여 존재하는 것으로, 우리의 「주택임대차보호법」 등에도 유사한 규정이 존재하고 있습니다.

주택임대차보호법

제6조(계약의 갱신) ① 임대인이 임대차기간이 끝나기 6개월 전부터 2개월 전까지의 기간에 임차인에게 갱신거절(更新拒絕)의 통지를 하지 아니하거나 계약조건을 변경하지 아니하면 갱신하지 아니한다는 뜻의 통지를 하지 아니한 경우에는 그 기간이 끝난 때에 전 임대차와 동일한 조건으로 다시 임대차한 것으로 본다. 임차인이 임대차기간이 끝나기 2개월 전까지 통지하지 아니한 경우에도 또한 같다.
② 제1항의 경우 임대차의 존속기간은 2년으로 본다.
③ 2기(期)의 차임액(借賃額)에 달하도록 연체하거나 그 밖에 임차인으로서의 의무를 현저히 위반한 임차인에 대하여는 제1항을 적용하지 아니한다.

제312조제4항에 따라 전세권이 (전세권 설정자의 의사와는 상관없이) 갱신되는 경우 법률에 의해서 강제로 갱신이 된다는 의미에서 법정갱신이라고도 부릅니다.

대법원은 "전세권의 법정갱신(민법 제312조제4항)은 법률의 규정에 의한 부동산에 관한 물권의 변동이므로 전세권갱신에 관한 등기를 필요로 하지 아니하고 전세권자는 그 등기없이도 전세권설정자나 그 목적물을 취득한 제3자에 대하여 그 권리를 주장할 수 있다."라고 하여(대법원 1989. 7. 11. 선고 88다카21029 판결), 이 법정갱신은 민법 제187조에 따라 별도로 등기를 하지 아니하여도 효력이 발생하는 것이라고 보고 있습니다.

참고로, 앞서 제2항과 마찬가지로 제4항 역시 '건물' 전세권설정자라고 명시하고 있습니다. 즉, 제4항에 따른 법정갱신은 토지전세권자에게는 적용되지 아니합니다. 따라서 나중에 공부할 제313조가 적용되어, 당사자는 언제든지 상대방에게 전세권 소멸통고를 할 수 있으며, 6개월이 경과한 후 전세권을 소멸시킬 수 있습니다(송덕수, 2022).

오늘은 전세권의 존속기간과 법정갱신에 대해 알아보았습니다. 내일은 전세금의 증감청구권에 대해 공부하도록 하겠습니다.

*참고문헌

곽윤직·김재형, 「물권법(제8판)」, 박영사, 2015, 347면.

김증한·김학동, 「물권법(제9판)」, 박영사, 1997, 416면.

김준호, 「민법강의(제23판)」, 법문사, 2017, 758면.

송덕수, 「신민법강의(제15판)」(전자책), 박영사, 2022, 587면.

제312조의2(전세금 증감청구권)

전세금이 목적 부동산에 관한 조세 · 공과금 기타 부담의 증감이나 경제사정의 변동으로 인하여 상당하지 아니하게 된 때에는 당사자는 장래에 대하여 그 증감을 청구할 수 있다. 그러나 증액의 경우에는 대통령령이 정하는 기준에 따른 비율을 초과하지 못한다.

전세금은 전세권의 가장 중요한 요소 중 하나입니다. 또, 현실에서는 대부분 목돈이니만큼 전세권자에게도, 전세권자에게도 중요하지요. 그런데 이런 전세금이 때로는 상황에 따라 금액이 적절하지 않게 될 수도 있습니다.

예를 들어 전세금을 1억원으로 받고 건물을 빌려주었는데, 극단적이기는 하지만 1000%의 인플레이션이 발생해서 1억원의 가치가 뚝 떨어져 버린다면, 건물 주인의 입장에서는 전세금을 좀 올려 달라고 요구할 수 있을 것입니다.

제312조의2는 이런 상황에서 당사자가 전세금을 올리거나, 줄여 줄 것을 청구할 수 있는 권리(전세금 증감청구권)을 규정하고 있습니다. 우리의 통설은 이를 형성권으로 보고 있으며, 전세권을 설정했던 사람(예를 들어 건물 주인)이 전세금을 올려 달라고 하면 전세권자는 증액된 금액을 내야 하는 의무가 발생하게 됩니다. 다만, 전세권자가 거절하면 역시 소송으로 이어지게 되겠지요. 반면, 전세금 증감청구권은 형성권이 아닌 단순한 청구권에 불과하고, 전세금을

올리거나 줄이는 문제는 언제나 당사자의 합의에 의하여야 한다는 일부 반대 의견도 있으니 참고하시기 바랍니다(김준호, 2017).

그런데 여기서 조금 특이한 내용이 있습니다. 바로 단서입니다. 증액의 경우에는 '대통령령'이 정하는 기준에 따른 비율을 초과하지 못한다고 되어 있지요. 민법에서 처음 등장하는 단어입니다. 대통령령이란 무엇일까요?

우리가 흔히 '법률'이라고 할 때에는 나라에서 국민들이 지켜야 할 것을 정한 것이라고 생각합니다. 아주 틀린 말도 아니긴 한데, 엄밀한 의미에서의 법률은 일상생활에서 생각하는 '법'과는 좀 다른 경우가 많습니다. 천천히 살펴보도록 하겠습니다.

우선, 기본적으로 국가적·사회적 배경을 바탕으로 주권자 또는 법령을 제정할 권한이 있는 자가 그 국가 또는 사회와 그 구성원에 대해 해당 규범의 준수를 강제하고, 스스로도 그러한 규범을 지킬 것을 전제로 일정한 목적하에 구성한 성문(成文)의 규범체계를 '법령'이라고 부릅니다(법제처, 2019). 좀 과하게 단순화해서 표현하자면, 국민들이 지켜야 할 것들을 규정한 겁니다. 이러한 법령에는 아래와 같이 여러 가지 종류가 있고, 각각의 유형마다 서로 우열이 있습니다.

1. 대한민국 헌법

헌법은 당연히 자주 들어 보셨겠지요. 대한민국의 최고 규범입니다. 어떠한 법률도 헌법에 위반되어서는 안 됩니다. 대한민국 헌법에서는 국민들이 가져야 할 가장 기본적인 권리(기본권)과 국민의 의무, 국가기관의 구성 등에 대해서 규정하고 있습니다.

2. 법률

이제 법률과 법령이 서로 같은 의미가 아니라는 것을 알 수 있습니다. 법률은 법령의 한 유형으로, 국회에서 제정되는 성문법을 의미합니다. 뉴스에서 매일 보시는 그 국회 맞습니다. 국회의원들이 표결을 해서 통과시킨 법률안들이, 법률이 되어 국민의 삶에 영향을 미치게 됩니다.

이처럼 헌법 외에 따로 하위 규범으로 법률을 두고 있는 이유는, 헌법에서 모든 것을 규율할 수는 없기 때문입니다. 그랬다가는 아마 헌법이 10만 페이지가 넘어갈 겁니다. 헌법은 국가의 근간을 이루는 이념과 가치, 가장 중요한 것들에 대해서 큰 그림을 그리고, 법률에서 좀 더 구체적인 모양으로 스케치를 하는 것입니다. 예를 들어 우리가 지금 공부하는 「민법」도 법률의 한 종류로서, 헌법의 이념을 구현하기 위해 만들어진 것이라고 할 것입니다.

3. 조약

조약은 신문 기사 같은 곳에서 여러 번 접해 보셨을 겁니다. 조약이란, 국가 간의 문서에 의한 합의를 말하는 것입니다. A나라와 B나라가 서로 합의해서, 우리는 서로 C라는 행위는 하지 않기로 하자, 이렇게 해서 조약을 맺었다면, 두 나라는 그 조약에 따라야 할 의무가 있습니다. 자연스레 두 나라의 국민들에게도 영향을 미치게 되겠지요. 한편, 조약 외에도 일반적으로 승인된 국제법규란 것이 있는데, 이는 국제사회에서 일반적으로 규범력이 인정된 국제 관습을 의미합니다(한국법제연구원). 우리의 헌법은, 조약과 일반적으로 승인된 국제법규가 국내법과 같은 효력을 지닌다고 인정하고 있습니다(제6조제1항).

> 대한민국헌법
> 제6조 ①헌법에 의하여 체결·공포된 조약과 일반적으로 승인된 국제법규는 국내법과 같은 효력을 가진다.
> ②외국인은 국제법과 조약이 정하는 바에 의하여 그 지위가 보장된다.

4. 명령

위에서 법률이 헌법에서 정하는 사항을 구체적으로 규율하고 있다고 했는데, 사실 법률만으로도 현실에서는 부족한 경우가 많습니다. 예를 들어, A라는 나라에서 "해수욕장에서 놀다가 다친 아이에게는 치료비를 나라에서 내준다."라는 법률을 만들기로 했다고 합시다.

그런데 막상 법률을 만들려고 하니, 생각보다 많은 문제가 발목을 잡습니다. 해수욕장은 정확히 무엇일까요? 자칫하면 그냥 물가 근처에서 아이가 다치기만 해도 해수욕장이라고 우기는 사람도 있을 것입니다. 해수욕장이 정확히 뭘 말하는지, 기준을 세워야 합니다. '아이'라는 건 또 정확히 뭘 말하는 걸까요? 8살? 13살이면 아이라고 할 수 있을까요? 15살 정도면 왠지 나라에서 치료비까지 내주기에는 좀 부담스럽다고 생각할 수도 있습니다. 어느 것이 답이건, 기준을 역시 정해야 합니다. 또 치료비를 부풀리거나 거짓으로 다쳐서 돈을 받으려고 하는 경우도 있을 수 있으니, 이런 문제도 고려해야 할 것입니다.

이처럼 법률을 하나 만들 때에는 함께 뒤따라오는 너무나 많은 문제를 고려하여야 합니다. 그런 것들을 모두 국회의원들이 검토하고, 토론하고, 그렇게 해서 표결해서 통과시키는 것은 현실적으로 어렵습니다. 그래서 법률에서 위임받은 사항을 규율하거나, 법률을 집행하기 위해서 행정기관이 규범을 정할 수 있도록 하는데 이를 '명령'이라고 합니다. 이러한 '명령'은 누가 정하는지에 따라 대통령령, 총리령, 부령으로 나눌 수 있으며, 모두 헌법에 근거를 두고 있습니다.

대한민국헌법
제75조 대통령은 법률에서 구체적으로 범위를 정하여 위임받은 사항

과 법률을 집행하기 위하여 필요한 사항에 관하여 대통령령을 발할 수 있다.

제95조 국무총리 또는 행정각부의 장은 소관사무에 관하여 법률이나 대통령령의 위임 또는 직권으로 총리령 또는 부령을 발할 수 있다.

따라서, 위의 A나라에서는 이렇게 '법률'을 정할 수 있을 것입니다. "해수욕장에서 놀다가 다친 아이에게는 치료비를 대통령령으로 정하는 바에 따라 치료비를 나라에서 내준다."

물론 실제 법률 조문이 이렇게 단순하게 위임하는 경우는 거의 없지만, 예를 들자면 그렇다는 것입니다. 법률이 이렇게 제정되면, 대통령은 법률에서 위임을 받은 사항(해수욕장의 의미, 아이의 범위 등)에 대해 대통령령을 만들면 됩니다.

이름이 명령이어서 마치 그때그때 대통령이 지시를 내리는 것처럼 느껴질 수도 있지만, 그렇지 않고 문서로 된 성문의 규범이라는 점, 기억하시면 되겠습니다. 또한, 명령은 확실히 법률의 하위 규범이기 때문에 법률에 위반되어서는 안 됩니다.

5. 자치법규(조례, 규칙)

우리나라는 지방자치제도를 운영하고 있지요. 소위 지방자치단체, 지자체라고 부르는 단체들이 존재합니다. 경기도, 강원도, 전주시 같은 것들이 그런 예입니다. 지방자치단체도 고유의 규범을 가질 수 있는데요, 이처럼 법령의 범위 안에서 그 권한에 속하는 사무에 관하여 지방의회가 정하는 규범을 조례라고 합니다. 또, 지방의회가 아니라 지방자치단체의 장(예를 들어 경기도지사)이 정하는 규범을 규칙이라고 합니다(법제처). 물론 당연하겠지만 경기도 조례는 경기도민에게 적용되는 것이지, 제주도민에게 적용되지는 않습니다. 전국에 고루 영향을 미치는 것은 법률이나 명령인 겁니다.

　지금까지 5가지 유형의 법령에 대해 알아보았는데요, 앞서도 말씀드렸지만 서로 간에 우열이 있기 때문에 그 서열(?)을 지켜야 합니다. 조례가 법률에 반하면 안 되는 것이고, 법률이 헌법에 반하면 안 되는 거지요. 이러한 위계는 다음과 같은 그림으로 표현할 수 있을 것입니다.

출처: 한국법제연구원

그럼 이제 다시 민법으로 돌아옵시다. 어쨌건 전세금을 '증액'하려는 경우에는(줄이려는 경우는 해당 안됩니다), 대통령령으로 정하는 기준에 따라야 한다고 합니다. 하필 증액하는 경우만 포함한 것은, 아무래도 돈 없는 사람이 전세금을 올려 달라는 요구에 쫓겨나지 않을까 걱정한 것이겠지요.

민법 제312조의2 단서에 따라, 다음과 같이 대통령령이 정해져 있습니다.

민법제312조의2단서의시행에관한규정
제1조 (목적) 이 영은 민법 제312조의2단서의 규정에 의하여 전세금의 증액을 청구하는 경우 그 증액청구의 기준에 관한 사항을 정함을 목

적으로 한다.

제2조 (증액청구의 비율) 전세금의 증액청구의 비율은 약정한 전세금의 20분의 1을 초과하지 못한다.

제3조 (증액청구의 제한) 전세금의 증액청구는 전세권설정계약이 있은 날 또는 약정한 전세금의 증액이 있은 날로부터 1년이내에는 이를 하지 못한다.

따라서 대통령령에 의해서 전세금을 올려 달라고 요구할 때에도, 원래 전세금의 20분의 1(5%)를 초과할 수는 없습니다. 때문에 갑자기 전세금을 2배로 올려달라는 요구 때문에 전세권자가 밖으로 나앉게 되는 일은 없게 될 것입니다.

오늘은 전세금 증감청구권과 대통령령에 대해 알아보았습니다. 보통 법률이건, 대통령령이건, 총리령이건 국민 입장에서는 지켜야 하는 것이기 때문에(지키지 않을 경우에는 처벌도 가능), 대강 싸잡아서 '법'이라고 부르는 경우가 많습니다.

"법에 그렇게 적혀 있어!" 이렇게 말할 때, 그 '법'에 대통령령 같은 것이 포함되어 있는 경우가 많다는 거지요. 하지만 자세하게 들여다보면 개념이 확실히 다르니까 공부하는 사람 입장에서는 주의할 필요가 있습니다.

내일은 전세권의 소멸통고에 대해 공부하도록 하겠습니다.

*참고문헌

김준호, 「민법강의(제23판)」, 법문사, 2017, 763면.

법제처, 법령입안심사기준, 2019.12., 3면.

법제처,   https://www.moleg.go.kr/menu.es?mid=a20503010000,
2024.1.17. 확인

한국법제연구원,   https://elaw.klri.re.kr/kor_service/struct.do,
2024.1.17. 확인

제313조(전세권의 소멸통고)

전세권의 존속기간을 약정하지 아니한 때에는 각 당사자는 언제든지 상대방에 대하여 전세권의 소멸을 통고할 수 있고 상대방이 이 통고를 받은 날로부터 6월이 경과하면 전세권은 소멸한다.

오늘은 전세권의 소멸통고를 알아보겠습니다. 소멸통고(消滅通告)의 단어가 좀 생소하기는 한데, '소멸'은 어떤 의미인지 대략 아실 것이고, 통고는 말이나 글을 통해서 알리는 것을 의미합니다.

우리가 전에 공부한 제312조가 전세권의 존속기간을 서로 약정한 경우에 적용되는 조문이었다면, 오늘 살펴볼 제313조는 전세권 존속기간을 정하지 아니한 경우에 적용됩니다(강태성, 2018).

*다만, 지난번 제312조에서 살펴보았듯 제312조제4항에 따른 법정갱신이 있는 경우에는 제313조가 적용될 것입니다.

전세권의 존속기간을 정하지 않았던 경우에는, 각 당사자(전세권설정자 또는 전세권자)는 '언제든지' 상대방에게 전세권의 소멸을 통고할 수 있습니다. 그리고 상대방이 통고를 받게 되면, 그 날부터 6개월이 경과한 후에는 전세권은 소멸하게 된다는 것입니다.

기간을 정하지 않았다고 해서 당사자가 영원히 전세권을 유지해야 하는 의무가 있는 것은 아니기 때문에, 어느 한쪽이 원치 않으면 이 관계를 끝낼 수 있도록 한 것입니다.

그런데 소멸 통고를 상대방이 받고 나서 6개월이 지난 뒤에 전세권이 별도의 (말소)등기 없이도 바로 소멸하는지, 아니면 민법 제186조에 따라 (말소)등기가 있어야만 소멸하는지에 대해서는 학설의 논란이 있습니다. 민법 제313조에서 "전세권이 소멸한다"라고 명백히 규정하고 있으므로, 전세권은 등기 없이도 소멸한다는 견해도 있고(김준호, 2017), 소멸 통고 같은 것은 등기되는 것도 아닌데, 그런 통고 이후에 6개월이 지나면 자동으로 전세권을 없애 버리게 되면 거래의 안전을 해칠 수도 있어 등기가 필요하다는 견해도 있습니다(지원림, 2013).

이 지점에서 또 한 가지 걸리는 부분이 있습니다. 바로 우리가 며칠 전 공부한 제312조인데요, 제2항에서는 건물 전세권의 경우에는 최소 1년의 기간은 보장해 주도록 하고 있습니다. 기억나십니까?

그렇다면 건물 전세권 설령 존속기간을 정하지 않았다고 해도, 제312조제2항에 따르자면 존속기간은 최소 1년이 되어야 한다고 생각할 수 있습니다. 그러면, 만약 전세권 설정자가 (존속기간이 정해져 있지 않은) 전세권이 시작된 지 몇 개월 지나지도 않아서 제313조에 따라 소멸 통고를 해버리면 어떻게 되는 걸까요?

예를 들어, 1월 1일부터 효력이 발생한 건물 전세권을 전세권 설정자가 2월 1일에 소멸 통고를 해버리는 겁니다. 그러면 6개월 뒤인 7월 1일에는 전세권이 소멸해 버리는 걸까요? 아니면 그래도 제312조제2항에서 최소 1년은 보장해 주고 있으니까, 1년도 안 지났는데 소멸 통고는 할 수 없다고 보아야 할까요?

　학설의 견해는 조금씩 다릅니다. 제312조제2항의 취지에 따르면 건물 전세권은 최소 1년의 존속기간이 보장되므로, 설령 건물 전세권을 설정하면서 기간을 정하지 않았다고 하더라도 제313조는 적용할 수 없다고 보는 견해가 있는 반면(김준호, 2017), 제312조제2항은 애초에 존속기간을 정한 경우에 적용되는 것이므로, 존속기간이 정해지지 않은 경우에는 제312조제2항이 적용되지 않으며, 그냥 제313조를 적용하면 된다는 견해도 있습니다(강태성, 2018:206면). 어느 견해가 타당한지 한번 생각해 보시기 바랍니다.

　참고로, 제313조에 대해서는 학설의 비판도 있습니다. 예를 들어 주택임차인(채권자)의 경우 법정갱신 시 존속기간 2년이 보장되는데(「주택임대차보호법」 제6조제1항 및 제2항), 오히려 물권을 가진 전세권자의 경우 법정갱신이 되더라도 제313조에 따라 소멸통고를 받고 6개월 뒤 전세권이 없어지게 된다는 겁니다. 즉, 물권자가 채권자보다도 더 약한 보호를 받게 된다는 것이지요(강태성, 2018:207-208면). 또한, 제313조는 지상권에 비하여 전세권자의 지위를 지나치게 약화시키고 있으며, 전세권의 물권성을 상실시키고 있다는 비판도 있습니다(장경학, 1987).

　오늘은 전세권의 소멸 통고에 관하여 알아보았습니다. 내일은 목적물의 멸실에 대해 공부하도록 하겠습니다.

*참고문헌

강태성, "민법 제313조에 대한 검토 및 개정안", 서울시립대학교 법학연구소, 서울법학 제26권제3호, 2018.11., 185-186면.

김준호, 민법강의, 법문사, 제23판, 2017, 759면.

장경학, 「물권법」, 법문사, 1987, 612면; 김용덕 편집대표, 「주석민법 물권3(제5판)」, 한국사법행정학회, 2019, 388면(조용현)에서 재인용.

지원림, 민법강의, 홍문사, 제11판, 2013, 698면.

제314조(불가항력으로 인한 멸실)

①전세권의 목적물의 전부 또는 일부가 불가항력으로 인하여 멸실된 때에는 그 멸실된 부분의 전세권은 소멸한다.

②전항의 일부멸실의 경우에 전세권자가 그 잔존부분으로 전세권의 목적을 달성할 수 없는 때에는 전세권설정자에 대하여 전세권전부의 소멸을 통고하고 전세금의 반환을 청구할 수 있다.

지금까지 우리가 공부한 전세권 제도의 취지대로, 전세권자는 전세금을 내고 건물이나 땅을 (계약한 기간 동안) 잘 사용하고, 전세권설정자는 전세금을 굴려서 이득을 내면 서로 좋을 것입니다. 윈-윈인 거죠.

그런데 세상일이 마음 같지 않아서, 전혀 예상하지 못했던 일이 벌어질 수 있습니다. 예를 들어 재수 없게 갑자기 하늘에서 벼락이 떨어져, 전세권 설정에 따라 전세권자가 빌려 쓰고 있던 건물이 먼지가 되어 버린다면 어떻게 될까요? 매우 낮은 확률이지만, 그런 일이 일어날 수도 있습니다. 지금부터 각각의 상황에 대해서 알아보도록 하겠습니다.

1. 목적물의 전부가 불가항력으로 멸실되어 버린 경우

민법 제314조제1항은, 전세권의 목적물 전부 또는 일부가 불가항력으로 인해서 멸실(상실되어 없어져 버리는 것을 말합니다)되는 경우에는, 그 없어진 부분의 전세권이 소멸한다고 정하고 있습니다. 예를 들어 목적물 전부가 없어졌다고 합시다. 전세권을 설정한 건물 전체가 먼지가 되어 버렸다고 해보는 거죠. 그러면, 누구 탓을 하고 말고를 떠나서 전세권이 소멸하는 것은 당연합니다. 전세권자가 억울하다고 해도 어쩔 수 없습니다. 전세권을 유지하고 싶어도 유지할 수 있는 목적물이 없으니까요.

참고로, 전세권자나 전세권설정자 누구의 잘못도 없이 불가항력으로 인해서 전세목적물이 멸실된 경우, (건물이 없어졌으니까) 전세권자의 목적물반환채무는 이행불능이 됩니다. 또한, 전세권자의 고의나 과실이 없었으므로 전세권자는 손해배상책임도 지지 않습니다(제315조 참조). 하지만 전세권설정자는 여전히 전세금을 돌려주어야 할 채무가 남아 있습니다.

"건물을 잃어버린 건 전세권설정자인데, 건물주인이 전세금도 돌려주어야 하나요? 너무하네요."

이렇게 생각하실 수도 있지만, 전세권자가 뭘 잘못한 것도 아니고 천재지변으로 건물이 없어졌다면, 전세권자는 전세금을 돌려달라고 할 수 있습니다(김준호, 2017).

대신 전세권자에게 고의나 과실이 있었다고 하면 얘기가 완전 달라지는데, 이 부분은 내일 제315조에서 살펴보도록 하겠습니다.

2. 목적물의 일부만 멸실되었지만, 남은 부분만으로는 전세권의 목적을 달성할 수 없을 정도인 경우

이 부분은 바로 제314조제2항에서 다루고 있습니다. 예를 들어 벼락이 떨어져서 건물의 일부분이 날아가기는 했는데, 남은 부분이 고작 기둥 몇 개와 기껏해야 창고로 쓸 수 있는 작은 방 정도라면, 그 건물에서 큰 사업을 해보려던 전세권자에게는 전세권을 유지하는 것 자체의 의미가 별로 없을 겁니다.

이런 경우, 제2항에서는 전세권자가 전세권 설정자에게 전세권 '전부'가 소멸됨을 통고하고 전세금을 돌려받을 수 있습니다. 건물을 잃어버린 전세권 설정자 입장에서는 억울할 수 있겠지만, 불가항력인 마당에 전세권자를 탓할 수도 없지 않겠습니까.

우리가 어제 공부한 제313조에서는 소멸 통고를 한 후 6개월이 지나야 효력이 발생하였지만, 여기 제314조제2항에서 말하는 소멸 통고의 경우에는 그런 유예기간 없이 바로 효력이 발생한다는 것이 일반적인 학계의 견해입니다(송덕수, 2019). 전세권의 목적이 되는 물건 자체가 없어졌는데 6개월씩 유예를 둘 이유가 별로 없기는 합니다.

3. 목적물의 일부만 멸실되었고, 남은 부분으로도 전세권의 목적을 달성할 수 있는 경우

이 경우는 위의 사례와는 약간 다릅니다. 예를 들어 전세권이 설정된 건물이 3층짜리 건물인데, 3층이 날아가 버리는 거죠. 전세권자가 보아하니, 1층과 2층만 써도 어떻게 사업을 할 수 있을 것 같습니다. 그러면 전세권은 건물의 3층 부분에 대해서는 없어지고, 1층과 2층에 대해서만 남는 것이 됩니다. 물론, 3층이 없어졌는데 전세금을 그대로 내는 것은 좀 억울하고, 없어진 부분에 비례해서 좀 깎은 금액의 전세금을 내면 된다고 합니다(송덕수, 2019).

지금까지 목적물의 전부 멸실, 일부 멸실에 대해서 전세권이 어떻게 바뀌게 되는지 알아보았습니다. 그런데 이런 생각을 해볼 수 있습니다.

만약 불가항력의 이유가 아니라 전세권자의 잘못으로 부동산이 멸실된 경우라면 어떨까요? 예를 들어, 전세권자가 건물 관리를 잘못해서 불이 나버리고, 그 결과 건물이 불타 없어져 버린 거죠. 이런 경우라면, 전세권설정자도 분명 할 말이 있을 겁니다.

이것이 바로 내일 공부할 제315조에 관한 내용입니다. 내일은 전세권자의 손해배상책임에 대해 알아보도록 하겠습니다.

*참고문헌

김준호, 「민법강의(제23판)」, 법문사, 2017, 768면.

송덕수, 「물권법(제4판)」, 박영사, 2019, 433면.

제315조(전세권자의 손해배상책임)

①전세권의 목적물의 전부 또는 일부가 전세권자에 책임있는 사유로 인하여 멸실된 때에는 전세권자는 손해를 배상할 책임이 있다.
②전항의 경우에 전세권설정자는 전세권이 소멸된 후 전세금으로써 손해의 배상에 충당하고 잉여가 있으면 반환하여야 하며 부족이 있으면 다시 청구할 수 있다.

어제 우리는 불가항력에 의해서 전세권의 목적물이 멸실된 경우를 살펴보았습니다. 그런데, 불가항력이 아닌 인재(人災)로 목적물이 멸실되었다면, 얘기가 조금 달라집니다. 예를 들어 전세권자가 난방설비를 제대로 관리하지 않아서 불이 났다고 한다면, 건물이 소실된 것에 대한 책임을 마땅히 져야 하는 것이겠죠.

우선, 건물이 모조리 불타 없어졌다면, 어쨌거나 전세권의 목적물 자체가 없어지기 때문에 전세권이 소멸하는 것은 (불가항력의 경우에서와) 마찬가지입니다. 다만, 이 경우에는 당연히 전세권자가 (건물을 잃어버린) 전세권 설정자에 대해서 손해배상책임을 져야 합니다.

그래서 제315조제1항은, 전세권의 목적물 전부 또는 일부가 전세권자의 '책임 있는 사유'로 멸실된 경우에는 손해배상책임이 있다고 규정하고 있습니다. 예를 들어 전세권자 본인이 관리를 제대로 안 한 탓으로 건물이 멸실되어 버렸다면, (건물의 소유자인) 전세권

설정자는 굉장히 억울하고 열 받겠지요. 손해배상을 받아야 할 것입니다. 어찌 보면 당연한 규정이라고도 할 수 있기 때문에, 제315조 제1항은 민법에서 삭제해도 크게 상관없다는 견해도 있습니다(강태성, 2018).

또한, 전부 멸실이 아니라 일부 멸실인 경우에는 남은 일부분의 전세권이 남게 되는데(남은 부분으로도 전세권의 목적을 달성할 수 있는 경우), 어제 공부한 제314조와는 달리 우리의 학설은 이 경우에는 전세금을 깎는 것은 허용되지 않는다고 봅니다(송덕수, 2019). 어차피 전세권자는 전세권설정자에게 손해를 입힌 상황이기 때문에, 전세금을 깎아주고 손해배상을 해주든지 전세금에서 손해배상을 충당하든지 피차일반이라고 생각하시면 되겠습니다. 어제 제314조와는 다르게 전세권자의 잘못이 큰 사안이기 때문에, 자연스러운 결론이라고 하겠습니다.

*제315조에서 말하는 손해배상책임의 성질은 채무불이행에 따른 손해배상책임이라고 합니다. 전세권자의 목적물유지의무 또는 목적물반환의무를 위반한 것이라는 거지요(조용현, 2019). 아직은 채무불이행책임을 공부하지 않았기 때문에, 나중에 해당 파트를 살펴본 후 다시 한번 제315조를 읽어 보시기 바랍니다.

제315조제2항에서는, 전세권이 소멸된 후에는 전세권 설정자가 전세금으로 손해를 충당하고 나서 남는 전세금을 되돌려 준다고 되어 있습니다. 예를 들어 전세권자의 잘못으로 불이 나서 건물이 다

타버리고, 4억원의 손해가 발생했다고 하면, 전세권 설정자는 본인이 예전에 전세권자에게 받았던 전세금 5억원으로 4억원의 손해를 충당하고, 남는 1억원만 전세권자에게 반환하면 된다는 이야기입니다(물론 실제로는 건물 가격보다 전세금이 훨씬 작을 것이므로, 현실에서는 돌려받을 전세금은 거의 없을 것이라고 보입니다). 만약 손해가 4억원이 아니라 6억원이라면, 추가로 1억원을 더 내놓으라고 전세권자에게 청구하면 됩니다.

그 외에도 학자들은 '억울한' 전세권 설정자가 민법 제311조를 근거로 해서 전세권의 소멸을 청구할 수 있고, 원상회복이나 손해배상을 청구할 수도 있다고 봅니다(김준호, 2017).

왜냐하면 전세권자의 책임으로 목적물이 멸실된 경우에는, 전세권자가 사실상 '그 목적물의 성질에 의하여 그 용법대로' 목적물을 사용, 수익하지 아니한 경우라고 해석할 수 있기 때문입니다.

> 제311조(전세권의 소멸청구) ①전세권자가 전세권설정계약 또는 그 목적물의 성질에 의하여 정하여진 용법으로 이를 사용, 수익하지 아니한 경우에는 전세권설정자는 전세권의 소멸을 청구할 수 있다.
> ②전항의 경우에는 전세권설정자는 전세권자에 대하여 원상회복 또는 손해배상을 청구할 수 있다.

오늘은 전세권자의 책임에 대해서 알아보았습니다. 내일은 원상회복의무와 매수청구권에 관하여 살펴보도록 하겠습니다.

*참고문헌

강태성, "민법 제315조.제317조.제318조에 대한 검토 및 개정안", 한국 토지법학회, 토지법학 제34권제2호, 2018.12., 172면.

김용덕 편집대표, 「주석민법 물권3(제5판)」, 한국사법행정학회, 2019, 400면(조용현).

김준호, 「민법강의(제23판)」, 법문사, 2017, 768면.

송덕수, 「물권법(제4판)」, 박영사, 2019, 433면.

제316조(원상회복의무, 매수청구권)

①전세권이 그 존속기간의 만료로 인하여 소멸한 때에는 전세권자는 그 목적물을 원상에 회복하여야 하며 그 목적물에 부속시킨 물건은 수거할 수 있다. 그러나 전세권설정자가 그 부속물건의 매수를 청구한 때에는 전세권자는 정당한 이유없이 거절하지 못한다.
②전항의 경우에 그 부속물건이 전세권설정자의 동의를 얻어 부속시킨 것인 때에는 전세권자는 전세권설정자에 대하여 그 부속물건의 매수를 청구할 수 있다. 그 부속물건이 전세권설정자로부터 매수한 것인 때에도 같다.

제316조제1항을 보겠습니다. 전세권이 존속기간의 만료로 소멸하게 될 때, 전세권자는 (빌려 썼던) 목적물을 원래대로 되돌려 두어야 하고, 부속시킨 물건은 수거할 수 있습니다. 다만, 전세권 설정자가 부속된 물건을 자기가 사겠다고 하는 경우에는 전세권자가 정당한 이유 없이는 거절하지 못한다고 되어 있습니다.

제1항에서 말하는 '부속시킨 물건'(부속물)이란 뭘까요? 일단은 뭔가 붙어 있는 물건입니다. 또 붙어는 있는데, 아예 완전히 결합된 정도는 아니고 독립된 물건이긴 합니다. 즉, 부속물이란 전세목적물과 분리는 가능하지만, 분리에 과다한 비용을 요하는 정도로 결합된 물건을 의미합니다. 중요한 것은 돈은 들지만 분리가 가능은 하다는 것으로, 만약 분리가 아예 불가능할 정도로 결합되어 있다면 그것은 부속물이라고 할 수 없고 '부합'의 법리가 적용됩니다. 제316조가

적용되지 않는 것이지요. 따라서 제256조(부동산에의 부합)에 따라 부동산 소유자(전세권설정자)가 부합된 물건의 소유권을 취득하게 됩니다. 대신 이러한 경우 전세권자는 유익비상환청구(제310조)가 가능하겠지요(박동진, 2022). 부속과 부합의 개념은 다르고, 어떤 것에 해당되는지에 따라 적용되는 민법 조문이 다르다는 것을 명확히 이해하시기 바랍니다.

제256조(부동산에의 부합) 부동산의 소유자는 그 부동산에 부합한 물건의 소유권을 취득한다. 그러나 타인의 권원에 의하여 부속된 것은 그러하지 아니하다.

제310조(전세권자의 상환청구권) ①전세권자가 목적물을 개량하기 위하여 지출한 금액 기타 유익비에 관하여는 그 가액의 증가가 현존한 경우에 한하여 소유자의 선택에 좇아 그 지출액이나 증가액의 상환을 청구할 수 있다.

②전항의 경우에 법원은 소유자의 청구에 의하여 상당한 상환기간을 허여할 수 있다.

예를 들어 보겠습니다. 철수는 건물의 소유자로, 영희와 전세권설정계약을 맺고 영희에게 건물을 사용하도록 허락해 주었습니다. 영희는 전세권자로서 건물을 자신의 입맛에 맞게 꾸미고, 여러 가지 소품들도 들여왔습니다. 커튼도 달고요. 조리시설도 설치했습니다.

이런 상황에서 전세 기간이 만료되면, 영희는 원래의 상태대로 철수에게 건물을 돌려주어야 합니다(제316조제1항 본문). 이를 전세권자의 **원상회복의무**라고 합니다. 철수는 다시 그 건물을 마음대로 써야 하는데, 영희가 두고 간 쓰레기나 소품들이 널브러져 있으면 안 되겠지요.

그런데, 영희가 부속시킨 조리시설 같은 것들은 철수가 보니까 그냥 철거하기 아까운 겁니다. 그래서 철수는 영희에게, "저 조리시설은 제게 파세요. 치우지 말고 그냥 두세요." 이렇게 얘기합니다. 이것이 바로 전세권 설정자의 **부속물매수청구권**입니다. 전세권 설정자의 부속물매수청구가 있으면, 전세권자(영희)는 정당한 이유 없이는 이를 거절하지 못합니다(제316조제1항 단서).

한 가지 조심할 것은, 여기서는 부속물에 대해 이야기하고 있으므로 전세 목적물과 독립된 별개의 물건인 상태여야 한다는 것을 전제하고 있다는 점입니다.

만약 영희가 설치한 조리시설이 건물에 대공사를 한 것이어서 건물을 부수지 않는 한 철거할 수 없을 정도라면, 이건 부속물이라고 하기 어렵고 건물의 구성부분이라고 볼 수 있습니다. 이 경우에는 오늘 공부하는 제316조가 적용될 수는 없고, 예전에 공부했던 유익비 상환청구권이 적용될 수 있는 가능성이 있습니다. 물론, 구성부분이 되어 버린 조리시설에 대해 유익비 상환청구권을 (영희가) 행사하려면, 조리시설이 건물의 객관적 가치를 증가시킨다는 요건이 만족되어야 하겠지요.

그런데 부속물매수청구권이 꼭 전세권 설정자에게만 주어지는 건 아닙니다. 제2항을 봅시다.

부속물이 전세권 설정자 스스로 동의해서 부속시킨 것일 때에는, 전세권자가 오히려 전세권 설정자에 대하여 부속물매수청구권을 행사할 수 있습니다.

예를 들어 위의 사례에서 영희가 설치한 조리시설이 철수(전세권 설정자)의 동의를 받아서 설치하였던 것이라면, 계약 기간이 종료될 때 영희는 도리어 철수에게 조리시설을 사들여 줄 것을 요구할 수 있는 겁니다. 제2항 단서에서는, 전세권 설정자로부터 부속물을 사들였던 경우에도 동일하게 부속물매수청구권이 인정된다고 합니다.

오늘은 부속물매수청구권에 대해 알아보았습니다. 그런데 오늘 살펴본 내용을 곱씹어 보면, 비슷한 내용을 전에도 보았던 것 같은 느낌이 듭니다.

전에 우리는 지상권이 소멸한 후, 지상권자의 수거의무와 매수청구권에 대해 공부하였던 바 있지요(제285조). 오늘 살펴본 조문도 바로 이러한 지상권에서의 규정과 취지를 같이 하는 것이라고 볼 수 있을 것입니다(조용현, 2019).

제285조(수거의무, 매수청구권) ①지상권이 소멸한 때에는 지상권자는 건물 기타 공작물이나 수목을 수거하여 토지를 원상에 회복하여야 한다.

②전항의 경우에 지상권설정자가 상당한 가액을 제공하여 그 공작물이나 수목의 매수를 청구한 때에는 지상권자는 정당한 이유없이 이를 거절하지 못한다.

여기서 잠깐, 짚고 넘어갈 것이 있습니다. 여러 교과서에서는 제316조제1항과 제2항에서 말하는 청구권을 모두 '부속물매수청구권'이라고 부르고 있습니다. 그런데, 자세히 살펴보면 같은 표현인데 조금 의미가 다릅니다. 이거는 주의하셔야 합니다.

먼저 제1항 단서에서의 청구권은 전세권설정자(부동산 소유자)가 전세권자(물건을 부속시킨 사람)에게 "자신에게 물건을 팔아줄 것"을 청구한다는 뜻입니다. 그런데 제2항에서 말하는 청구권은 전세권자가 전세권설정자에게 "자신의 물건을 사줄 것"을 청구한다는 뜻입니다. 그러니까 의미가 좀 다릅니다. "네 물건을 사겠다/네 물건을 내게 팔아라"(제1항 단서)라는 말과 "내 물건을 사달라"(제2항)라는 말은 다르니까요.

참고로, 지상권 파트에서의 지상물매수청구권도 표현에 주의하여야 합니다. 제283조제2항은 "내 물건을 사달라"라는 의미이며, 제285조제2항은 "네 물건을 내게 팔아라"라는 의미입니다. 여러분도 주의하시기 바랍니다.

*학계에서도 이러한 민법의 표현에 대한 지적이 있으며, 제316조제1항 단서의 '매수'는 사실 '매도'를 의미하는 것이므로(매수가 아닌 매도청

구권) 해당 조문을 "전세물소유자가 전세권자에게 그 부속물을 매수하겠다는 의사를 표시하면"이라고 바꿀 수 있다는 의견도 있습니다(강태성, 2018).

예전에 공부한 개념들이 군데군데 다시 튀어나오니, 당황하지 마시고 복습 차원에서 옛날 글을 읽어 보시면, 새로운 느낌이 있을 거예요. 내일은 전세권 소멸과 동시이행의 문제에 대해 공부하도록 하겠습니다.

*참고문헌

강태성, "민법 제314조와 제316조에 대한 검토 및 개정안", 한국법정책학회, 법과 정책연구 제18집제2호, 2018, 503-504면.

김용덕 편집대표, 「주석민법 물권3(제5판)」, 한국사법행정학회, 2019, 406면(조용현).

박동진, 「물권법강의(제2판)」, 법문사, 2022, 373면.

제317조(전세권의 소멸과 동시이행)

전세권이 소멸한 때에는 전세권설정자는 전세권자로부터 그 목적물의 인도 및 전세권설정등기의 말소등기에 필요한 서류의 교부를 받는 동시에 전세금을 반환하여야 한다.

오늘은 동시이행이라는 개념을 알아보도록 하겠습니다. 제317조는, 전세권이 소멸한 때에는 전세권 설정자가 전세권자로부터 그 목적물을 돌려받고(인도), 전세권 설정등기를 말소하는데 필요한 서류를 받을 수 있다고 정합니다. 그리고, 그와 동시에 전세금을 전세권자에게 돌려주도록 하고 있습니다. 이게 무슨 의미일까요?

자, 철수는 건물의 소유자이고, 자신의 건물에 전세권을 설정하는 계약을 영희가 맺었다고 합시다. 철수는 이제 전세권 설정자가 되고, 영희는 전세권자가 됩니다. 전세권의 존속기간은 3년으로 정했다고 가정하겠습니다. 영희는 전세금으로 3억원을 철수에게 주었습니다.

3년이 지나면, 이제 계약 기간이 끝나 영희의 전세권은 소멸하게 됩니다. 그러면, 철수와 영희는 각각 다음과 같은 의무를 지게 됩니다. 관계를 청산하기 위한 거지요.

철수(전세권 설정자): 이제 영희에게 3억원의 전세금을 온전히 돌려주어야 할 의무

영희(전세권자): ①이제 철수의 건물을 철수에게 온전히 돌려주어야 할 의무(방을 뺄 의무라고 하겠습니다), ②전세권이 등기되어 있으므로, 전세권의 말소등기에 필요한 서류를 철수에게 건네줄 의무

정리하자면 저런 상황인 것입니다. 제317조는 이러한 철수의 의무와 영희의 의무는 동시에 이행되어야 하는 관계라고 말하고 있습니다. 이건 정말 0.1초도 오차 없이 스톱워치를 켜고 둘이 동시에 후다닥 해야 한다는 뜻이라기보다, 어느 한쪽의 의무가 더 중요해서 먼저 이루어져야 한다든지, 그런 의미의 우선순위가 있는 것이 아니고 둘 다 동등하게 중요한 의무라는 것입니다.

따라서, 만약 영희(전세권자)가 건물에서 방을 빼지도 않으면서, 철수(전세권 설정자)에게 "전세권 존속기간이 끝났으니 내 돈 3억원을 빨리 돌려주십시오."라고 하면, 철수는 "민법 제317조에 따라 당신의 의무와 나의 의무는 동시이행 관계에 있는데, 당신은 자신의 의무를 아직 이행하지도 않으면서 나에게 내 의무를 이행하라고 강요할 수 없습니다."라고 반박할 수 있다는 것입니다. 반대의 경우도 가능합니다.

그런데 여기서 한 가지 생각해 볼만한 문제가 있습니다. 사례를 약간 비틀어서, 3년의 존속기간이 끝나기 하루 전에 철수가 자신의 건물을 나부자에게 팔았다고 합시다. 그러면 영희는 자신의 전세금을 누구에게 청구해서 받아야 하는 걸까요? 옛날 소유자인 철수? 지

금 소유자인 나부자?

여기에 대해서는 학설의 대립이 있습니다. 다만, 판례는 새로운 목적물의 소유자인 나부자가 전세금을 돌려주어야 한다고 보고 있습니다(이른바 승계인정설). 대법원은 "민법이 전세권 관계로부터 생기는 상환청구, 소멸청구, 갱신청구, 전세금증감청구, 원상회복, 매수청구 등의 법률관계의 당사자로 규정하고 있는 전세권설정자 또는 소유자는 모두 목적물의 소유권을 취득한 신 소유자로 새길 수밖에 없다고 할 것이므로, 전세권은 전세권자와 목적물의 소유권을 취득한 신 소유자 사이에서 계속 동일한 내용으로 존속하게 된다고 보아야 할 것"이라고 하니, 참고하시기 바랍니다(대법원 2000. 6. 9. 선고 99다15122 판결).

다만, 이러한 견해에 대해서는 비판도 있습니다. 새로운 소유자가 전세권설정자의 지위까지 당연히 인수한다고 해석하는 어려운 점, 소유권변동이 있다고 하더라도 이는 매수인이 전세금을 나중에 전세권자에게 반환하겠다고 하는 이행인수에 불과한 점, 이행인수는 당사자 사이에서만 효력이 있을 뿐이고 전세권자에게는 효력이 없다는 점, 채무인수 또는 계약인수로 보기 위해서는 전세권자의 동의가 필요한 점 등이 반박의 논거로 제시됩니다(김준호, 2017).

물론, 아직은 이행인수나 채무인수와 같은 개념을 살펴보지 않았으므로 이 부분을 지금 이해하실 필요는 없습니다. 그냥 반론이 있구나, 정도로 넘어가시면 됩니다.

또 하나 생각해볼까요? 만약 건물 소유자가 철수 혼자가 아니라 철수 동생, 철수 친구 이렇게 3명(공유)이라고 하면 어떨까요? 영희는 셋 중 누구에게 전세금을 돌려받으면 되는 걸까요?

결론만 말씀드리자면 셋 중 누구에게라도 1명 찍어서 달라고 하면 됩니다. 여러 명이 지는 전세금반환채무는 나중에 공부할 불가분채무라고 할 수 있는데요, 이 경우 1인에게 채무 전부를 이행할 것을 청구할 수 있습니다(제411조, 제414조). 다만, 1명에게 한 이행청구로는 다른 채무자에게 시효중단이나 이행지체 같은 효과를 미칠 수 없긴 합니다(제411조, 제416조)(조용현, 2019).

이 부분은 나중에 어차피 다수당사자 채권채무 관계에서 자세히 살펴볼 것이니 지금은 그냥 누구에게든 달라고 할 수 있다는 결론만 알고 지나가셔도 좋습니다.

오늘은 전세권의 소멸에 따른 동시이행에 대하여 알아보았습니다. 본문에서는 편의상 존속기간의 만료로 전세권이 소멸하게 되는 예시를 들었지만, 우리가 그동안 공부했던 소멸통고에 따른 소멸이나(제313조), 목적물의 멸실(제314조)에 의해서 전세권이 소멸하는 경우에도 오늘 공부한 동시이행의 문제가 발생할 수 있다는 점, 기억해 두시기 바랍니다.

내일은 전세권자의 경매청구권에 대하여 공부하도록 하겠습니다.

*참고문헌

김준호, 「민법강의(제23판)」, 법문사, 2017, 769-771면.

김용덕 편집대표, 「주석민법 물권3(제5판)」, 한국사법행정학회, 2019, 418면(조용현).

제318조(전세권자의 경매청구권)

전세권설정자가 전세금의 반환을 지체한 때에는 전세권자는 민사집행법의 정한 바에 의하여 전세권의 목적물의 경매를 청구할 수 있다.

오늘은 경매라는 단어가 나옵니다. 이 단어, 어디서 본 것 같습니다. 우리는 민법 제187조를 공부하면서 '경매'라는 단어를 공부한 적이 있었습니다. 또한, 경매와 전세권자의 우선변제권에 대해서도 함께 공부한 적이 있는데, 바로 민법 제303조입니다. 기억이 안 난다 하는 분들은 이 2개의 조문을 복습하고 오셔도 좋을 것 같습니다.

제187조(등기를 요하지 아니하는 부동산물권취득) 상속, 공용징수, 판결, 경매 기타 법률의 규정에 의한 부동산에 관한 물권의 취득은 등기를 요하지 아니한다. 그러나 등기를 하지 아니하면 이를 처분하지 못한다.

제303조(전세권의 내용) ①전세권자는 전세금을 지급하고 타인의 부동산을 점유하여 그 부동산의 용도에 좇아 사용·수익하며, 그 부동산 전부에 대하여 후순위권리자 기타 채권자보다 전세금의 우선변제를 받을 권리가 있다.

②농경지는 전세권의 목적으로 하지 못한다.

문자 그대로 해석하면, 경매청구권이란 경매에 부칠 수 있는 권리가 될 것입니다. 그리고, 제318조 제목을 보면 아시겠지만 전세권자에게 이러한 권리가 인정됩니다. 어떤 의미인지 예를 들어 보도록 하겠습니다.

철수는 건물의 소유자로, 영희와 전세권 설정계약을 맺고 건물을 사용하게 해 주었습니다. 전세권 존속 기간은 2년으로 하였습니다. 대신, 철수는 영희로부터 3억원의 전세금을 받았습니다. 이제는 지겨울 정도의 사례죠? 철수는 우리의 민법 공부를 위해서 도대체 몇 번이나 건물주가 되어야 하는 걸까요.

어쨌건 2년의 시간은 흐르고, 계약서에 적힌 기간(2년)이 끝나게 되자 영희는 철수에게 자신의 전세금(3억원)을 돌려 달라고 말합니다. 그런데 웬걸, 철수가 이렇게 말합니다. "미안해, 내가 요즘 주식에 관심이 많아서 그만... 3억원을 모두 날려 버렸지 뭐야." 전세금을 모두 떼이게 된 영희는 눈앞이 아득해집니다. 철수의 지갑이라도 털어 보지만, 빈털터리가 된 철수에게는 돈도 없습니다.

불쌍한 전세권자인 영희에게는 이런 경우 경매청구권이 주어집니다. 제318조에 따라, 전세권 설정자(철수)가 전세금의 반환을 지체한 경우, 전세권자(영희)는 「민사집행법」에 따라 전세권의 목적물(철수의 건물)을 경매에 넘겨 버릴 수 있는 것입니다. 경매에서 그 건물이 누군가에게 팔리게 되면, 영희는 그 대금으로 자신의 전세금을 충당할 수 있는 것입니다.

그리고 우리가 민법 제303조에서 공부하였듯이, 전세권자는 부동산 전부에 대하여 후순위권리자 또는 다른 채권자보다 전세금의 우선변제를 받을 수 있으며, 이를 우선변제권이라고 합니다(민법 제303조 파트 참조).

물론, 전세권자가 이런 경매청구권을 행사하기 위해서는 어디까지나 제318조에 적힌 대로 '전세권 설정자가 전세금의 반환을 지체'했다는 요건이 충족되어야 합니다. 전세 기간이 끝나지도 않았는데 영희가 철수의 건물을 마음대로 경매에 부칠 수는 없습니다.

다만, 우리가 앞서 공부했듯이 '전세권 설정자의 전세금 반환 의무'는 '전세권자의 목적물 인도(반환) 및 전세권설정등기 말소에 필요한 서류의 교부 의무'와 동시이행의 관계에 있기 때문에(제317조), 제318조의 경매청구권을 행사하려면 최소한 전세권자(영희)도 건물을 전세권 설정자(철수)에게 되돌려주고, 말소등기에 필요한 서류도 교부하였어야 합니다(김준호, 2017). 그렇지 않으면 철수 입장에서는 아직 건물도 돌려받지 못했고, 말소등기에 필요한 서류도 못 받았다면서 전세금을 합법적으로 반환하지 않아도 되니까요.

우리의 판례 역시 "전세권자의 전세목적물 인도의무 및 전세권설정등기말소등기의무와 전세권설정자의 전세금반환의무는 서로 동시이행의 관계에 있으므로 전세권자인 채권자가 전세목적물에 대한 경매를 청구하려면 우선 전세권설정자에 대하여 전세목적물의 인도의무 및 전세권설정등기말소의무의 이행제공을 완료하여 전세권설정자를 이행지체에 빠뜨려야 한다."라고 하여, 같은 입장입니다

(대법원 1977. 4. 13. 자 77마90 결정). 이행제공의 개념에 대해서는 나중에 채권법 파트에서 살펴볼 예정입니다.

지금까지 전세권자가 전세금을 못 받을 경우 쓸 수 있는 최후의 수단인 경매청구권에 대해 알아보았습니다. 그런데, 제318조에는 「민사집행법」이라는 법률이 처음 등장합니다. 경매를 청구하는 것은 좋은데, 이 법에 규정한 대로 하라는 것입니다. 「민사집행법」이란 뭘까요? 이를 알아보려면 먼저 법의 분류에 대해 간략히 살펴볼 필요가 있습니다.

우리 사회를 유지하기 위해서는 다양한 법률이 필요합니다. 이러한 법률들은 크게 보아 2가지로 나눌 수 있을 겁니다. 개인과 개인 간의 관계에 대해 규율하는 것, 그리고 국가가 개입해서 규율하는 것이겠지요. 어떤 한 사람이 다른 사람에게 피해를 끼치거나 잘못을 했다고 해도, 피해를 본 것을 보상하는 정도로 끝날 일이 있고 국가가 나서서 처벌하여야 하는 것이 있습니다.

예를 들어 철수가 고의 없이 실수로 영희에게 커피를 쏟아 그녀의 옷을 더럽혔다면, 그것은 처벌할 일까지는 아닙니다. 철수가 단지 영희의 옷값을 물어주면 그만입니다. 그러나 철수가 영희의 옷을 빼앗아 찢어 버렸다면, 경우에 따라 손괴죄가 적용될 수 있으며 국가가 나서서 처벌할 사안이 될 수도 있습니다. 왜냐하면, 후자의 행동은 전자보다 더 비난가능성이 크고, 처벌의 필요성이 있는 행위이기 때문입니다.

이와 같이 사람과 사람 사이의 재산 문제나 가족관계 등에 관련된 다툼을 규율하는 법들을 넓게 묶어 **민사법(民事法)**이라고 합니다. 사람(民) 사이의 개인적인 일(事)을 규율하는 법이라고 직역할 수 있을 것입니다. 반면, 국가가 나서서 시민에 대해 형벌권을 행사하기 위한 요건과 형량 등을 규정하는 법들을 넓게 묶어 **형사법(刑事法)**이라고 합니다. 처벌(刑)하는 일(事)을 규율하는 법이라고 직역할 수 있을 것입니다.

민사법의 가장 대표적인 법이 바로 우리가 공부하는 민법입니다. 그리고 지금까지 쭉 살펴보았기 때문에 아시겠지만 어떤 권리가 누구에게 있는지, 권리가 어떻게 발생하고 어떤 의무가 있는지, 즉 실체적인 권리관계를 다루고 있습니다. 어떤 법률요건에 어떤 법률효과가 발생하는지를 규정한, 이러한 법률을 **실체법**이라고 부릅니다. 민법은 실체법의 대표적인 예입니다.

한편, 어떤 권리가 누구에게 있는지가 결정된 것만으로는 아직 부족합니다. 바로 권리의 실현을 어떻게 할 것인지를 규율할 필요가 있습니다. 예를 들어 철수가 영희에게 1억원을 빌려주었다면, 철수는 영희에 대하여 빌린 돈을 갚도록 청구할 수 있는 권리가 있겠지요. 그러나 영희가 차일피일 돈을 갚지 않고 버틴다면, 철수가 영희

네 집에 쳐들어가서 문짝을 뜯고 돈을 들고 나올 수는 없는 노릇이니, 그때부터는 소송으로 가야 합니다. 이러한 소송절차에 대한 내용을 「민사소송법」에서 다루고 있습니다.

민사소송법
제1조(민사소송의 이상과 신의성실의 원칙) ①법원은 소송절차가 공정하고 신속하며 경제적으로 진행되도록 노력하여야 한다.
②당사자와 소송관계인은 신의에 따라 성실하게 소송을 수행하여야 한다.

자, 소송에서 철수가 이겼습니다. 그런데 문제는, 승소한 판결문을 들고 있는데도 영희가 철수에게 돈을 돌려주지 않는다는 거죠. 그냥 버티는 겁니다. 이대로 두면 철수는 갖은 고생을 하면서 소송을 한 이유가 없어지고 맙니다. 이제부터는 이미 끝난 소송에 따라 국가가 어떻게 영희의 재산으로부터 1억원을 뜯어내(?) 철수에게 돌려줄지가 관건입니다. 이처럼 판결을 근거로 하여 국가가 강제로 권리를 실현하는 것을 집행이라고 하며, 이와 같은 집행절차에 대한 내용을 「민사집행법」에서 다루고 있습니다.

민사집행법
제1조(목적) 이 법은 강제집행, 담보권 실행을 위한 경매, 민법·상법, 그 밖의 법률의 규정에 의한 경매(이하 "민사집행"이라 한다) 및 보전처분의 절차를 규정함을 목적으로 한다.

소송과 집행에 관련된 법들을 넓게 묶어 절차법이라고 하며, 민사집행법과 민사소송법은 바로 절차법의 대표적인 예입니다. 그러니까 '민사법'이라는 카테고리에는 실체법인 민법도 있고, 절차법인 민사소송법이나 민사집행법도 있는 것이지요.

오늘은 전세권자의 경매청구권과 민사집행법에 대하여 알아보았습니다. 내일은 드디어 전세권 파트의 마지막 조문, 준용규정에 대해 공부하도록 하겠습니다.

*참고문헌

김준호, 민법강의, 법문사, 제23판, 2017, 771면.

제319조(준용규정)

제213조, 제214조, 제216조 내지 제244조의 규정은 전세권자간 또는 전세권자와 인지소유자 및 지상권자간에 이를 준용한다.

우리가 지금까지 민법을 공부하면서 여러 차례 봐왔던 준용 규정입니다. 이제 준용의 의미에 대해서는 따로 설명을 안 드려도 될 것 같고, 어떤 조문들을 준용하고 있는지 보도록 하겠습니다. 제216조부터 제244조까지의 조문은 분량상 생략하도록 하겠습니다. 제216조부터 제244조까지의 규정은 우리가 오랫동안 공부했던 상린관계에 관한 규정으로, 이웃한 땅의 사용청구권(인지사용청구권)(제216조), 수도나 가스관 등의 시설권(제218조), 주위토지통행권(제219조), 여수소통권(제226조) 등에 관한 내용들이지요.

제213조(소유물반환청구권) 소유자는 그 소유에 속한 물건을 점유한 자에 대하여 반환을 청구할 수 있다. 그러나 점유자가 그 물건을 점유할 권리가 있는 때에는 반환을 거부할 수 있다.

제214조(소유물방해제거, 방해예방청구권) 소유자는 소유권을 방해하는 자에 대하여 방해의 제거를 청구할 수 있고 소유권을 방해할 염려 있는 행위를 하는 자에 대하여 그 예방이나 손해배상의 담보를 청구할 수 있다.

제216조(인지사용청구권) ①토지소유자는 경계나 그 근방에서 담 또는 건물을 축조하거나 수선하기 위하여 필요한 범위내에서 이웃 토지의 사용을 청구할 수 있다. 그러나 이웃 사람의 승낙이 없으면 그 주거

에 들어가지 못한다.

②전항의 경우에 이웃 사람이 손해를 받은 때에는 보상을 청구할 수
있다.

어디서 많이 본 듯한 준용규정 아닙니까? 우리는 유사한 규정을
이미 공부한 적이 있습니다. 바로 지상권 파트에서 나왔던 준용규정
(제290조)이 제319조와 매우 닮았습니다. 시간이 괜찮은 분들은 제
290조 파트를 한번 복습하고 옵시다. 좀 더 쉽게 이해가 가실 것입
니다.

제290조(준용규정) ①제213조, 제214조, 제216조 내지 제244조의 규
정은 지상권자간 또는 지상권자와 인지소유자간에 이를 준용한다.
②제280조 내지 제289조 및 제1항의 규정은 제289조의2의 규정에
의한 구분지상권에 관하여 이를 준용한다.

따라서 제319조에 의하여 전세권자는 전세 목적물을 누군가 빼
앗는 경우 반환청구권(제213조), 목적물의 이용을 방해하는 경우 방
해제거청구권(제214조)을 행사할 수 있을 것입니다.

또한, 제216조부터 제244조까지의 규정이 준용됩니다. 전세권
역시 지상권과 마찬가지로 토지를 이용할 수 있도록 하는 권리이기
때문에, 이웃한 땅과의 이용 문제를 조절하기 위한 상린관계 규정들
을 준용할 의미가 있는 거지요(김준호, 2017).

물론 전세권이 땅만을 이용하는 권리는 아니고, 건물만을 목적으로 하는 전세권도 있을 수 있지만, 어쨌건 (건물은 땅 위에 있으니) 땅을 이용할 수 있는 권리라고 할 수 있으므로 이러한 규정을 둔 것입니다(송덕수, 2019).

지금까지 전세권을 공부하느라 고생이 많으셨습니다. 이제 전세권 파트는 마무리하고, 새로운 물권을 공부할 것입니다. 바로 대표적인 담보물권 중 하나인 유치권입니다.

*참고문헌

김준호, 「민법강의(제23판)」, 법문사, 2017, 763면.

송덕수, 「물권법(제4판)」, 박영사, 2019, 427면.